オオサカ大逆転!

――2025年関西・大阪万博
日本でいちばん「陽の当たる都市」へ――

TOYOHIRO YUKI 結城豊弘

OSAKA

ビジネス社

はじめに

大阪は本当に面白い地だ。

「くいだおれ」と呼ばれる食の宝庫。吉本興業や松竹新喜劇といった「お笑い」の文化。歌舞伎、文楽、能、狂言といった古典芸能。商売に芸能、関西弁に浪速の生活文化。様々な顔を見せてくれる。

最初は「関西弁」に抵抗がある方もいるだろう。しかし、今では「関西弁」は、明石家さんまさんや笑福亭鶴瓶さん、ダウンタウンなど数多くの関西出身の有名テレビタレントの力で、標準語（元は東京の世田谷区周辺を中心として使われた山の手言葉）に次いで、日本で一番メジャーな方言となった。

東京で今では、普通に若者らが、会話の中に関西弁の「アホやな」とか「めっちゃ凄い」と使う。逆に大阪でも「あのさー」と言ったりするが、関西弁の強さは別格。

大阪の言葉の引力はもの凄い。東京から移り住んだ人は、不思議と直ぐに日常の言葉が関西寄りになってしまう。調子にのって関西弁で話していると「エセ関西弁」とお叱りをくらうこともあるが、何故かどんどん関西・大阪に染まってしまう。商売の力もしかり。そんな不思議な力の源泉と、大阪の底力をまとめたのが本書だ。

大阪は「ひったくり件数ワースト1」や「生活保護受給者全国1位」など長く不名誉な記録を更新し経済もどん底だった。大阪人自らも「こんなものやろー」と自虐的に諦めるほど酷い時代があった。しかし、大阪府と市にとって、長い不況と不遇な時代は今は昔。大阪は現在、首都・東京に迫る力を着々と蓄えつつある。

いよいよ、大阪・関西万博の開催が2025年に近づいてきた。万博が、関西の牽引車になるのか。それとも、またもや大阪が坂道を転げ落ちる負の遺産になってしまうのか。

大阪の未来への予言を本書に盛り込んだ。大阪のこれまでのダメっぷりと、知られざる大阪の凄さがコントラストを持つ愛すべき大阪の姿。

大阪を知る人は、どうか少し嗜虐的にぐっと涙をこらえて読んで欲しい。一方大阪を知らない人は、大阪の怖さと魅力を多角的に知って欲しい。

大阪人ではなかったテレビマンの私。「大阪はもっと良いところ」とのご批判は、承知の助。あくまでも私が実際に体験し、俯瞰から見た、大阪の姿と変遷を書いた。

「良心的な失敗者は、二度と誤ちをくりかえさない」とは、危機管理の概念を日本に紹介した元内閣安全保障室初代室長だった佐々淳行氏の言葉。大阪人は〝良心〟が強いから佐々さんの教えからいえば二度と過ちは無いかもしれない。

また、「大阪は底力が凄い。それは自ら工夫をしてモノを作り、人々を便利にしたい。人々を幸せにしたいという気持ちを持つ人が多いからだ」。これは、〝しお爺〟と呼ばれ大阪人に愛された、元財務相塩川正十郎さんの大阪の強さの分析だ。ここからも大阪の工夫の精神が見えてくる。お世話になった素晴らしい方達から聞いた生々しい声も、本書には沢山紹介した。

大阪をもっと知りたい人、大阪を違う目線から見てみたい人。そして真の大阪の実力を詳しく知りたい方は、どうか最後まで読んで欲しい。

私の憧れで、ずっと一緒にテレビの仕事をしてきた辛坊治郎ニュースキャスターは、今、ちょうど太平洋の真ん中にいる。私がこの本を書いている間、二度目のヨット太平洋横断の冒険に出発した。毎日5メートルから7メートルの高波や台風並みの風に争い、悪戦苦闘しながらアメリカを目指し船を進めている。本書を書きながら、毎日のヨットの進路航跡を古野電気特設ホームページで確認し、定時連絡の声をニッポン放送ラジオで聴き「辛坊さん、頑張ってね」とエールをおくってきた。辛坊さんのチャレンジは、本書を書く私の励みともなった。

時を同じくして、私と辛坊さん、森武史さん、羽川英樹さん、道浦俊彦さんいった、超個性的なアナウンサーを読売テレビに採用した、元アナウンス部長・下山英三さんが、永眠された。辛坊さんの冒険成功と私の本書出版を直接下山さんに報告できなかったことは、本当に残念である。下山さんがいなければ、私や辛坊さんのテレビでの仕事は無かったのは間違いないのだから。この場をお借りしてご冥福をお祈りしたい。

新型コロナウイルスの感染猛威が日本を席巻している。危機に強いリーダーや社会とはいったい何か。正しい情報を知ることや冷静に判断することが今ほど求められた時代はない。そしてアフターコロナにどんな未来が待っているのか。大阪はその時に日本全体のキーになるのは間違いない。そんな羅針盤を大阪のケースを通じて考察していただければ幸いだ。

私に執筆を強く勧め、背中を押していただいたジャーナリストの大先輩・古森義久氏、そして粘り強く、叱咤激励を頂いた編集の中澤直樹氏に心からお礼を申し上げる。

それでは、大阪の危機的状況とそこからの脱出、未来への話を続けていきたい。

2021年5月

結城豊弘

オオサカ、大逆転！　目次

第2章 「大阪オリジナル」の逆襲 ――東京とは異なる価値観で勝負する

第3章　もっと飛躍！　2025年への提案

第４章 大阪から世界が見える——フォーリー淳子・大同門社長との対談

大阪の中心部

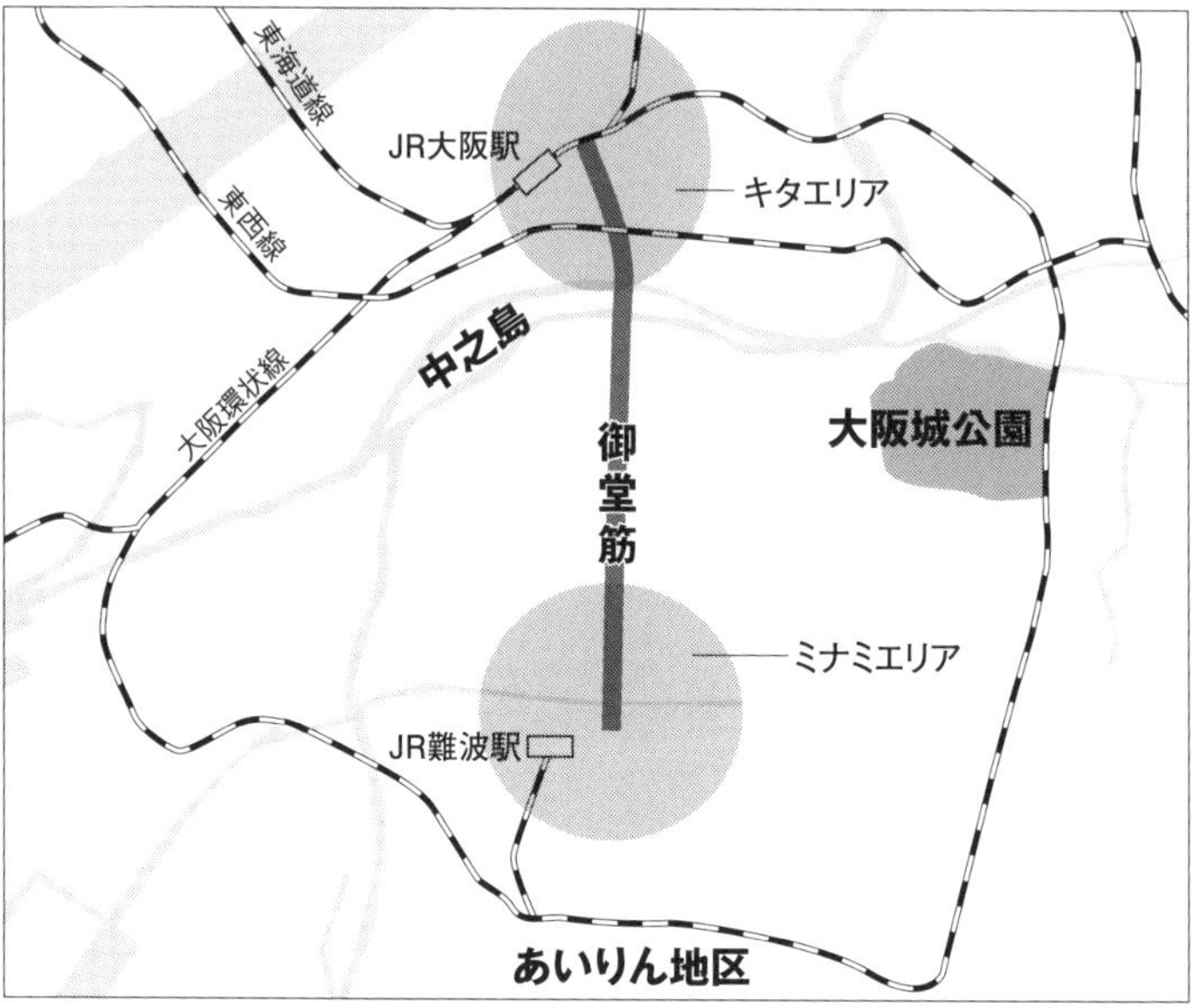
東海道線
JR大阪駅
東西線
キタエリア
中之島
大阪環状線
御堂筋
大阪城公園
ミナミエリア
JR難波駅
あいりん地区

ベイサイドエリア

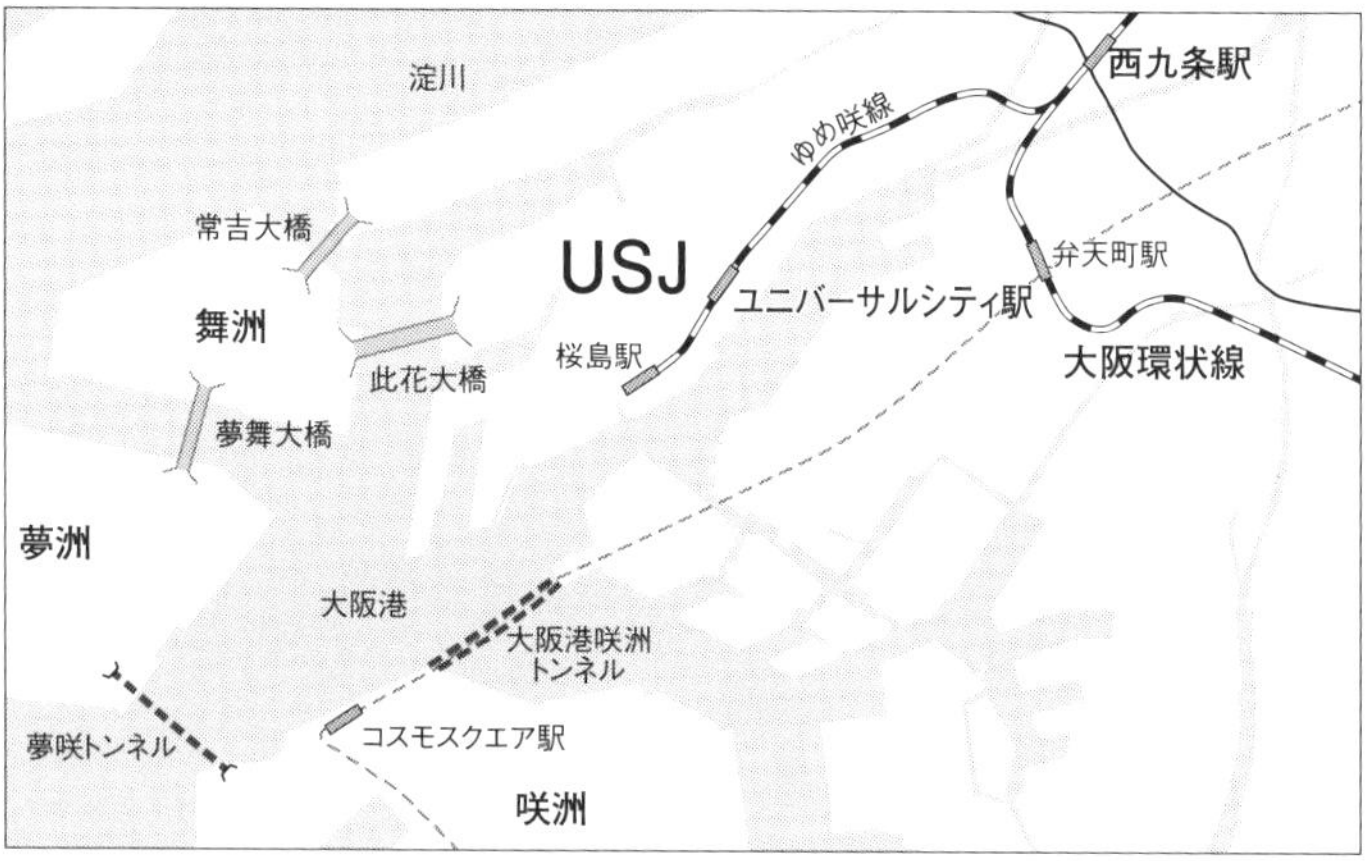
淀川
西九条駅
ゆめ咲線
常吉大橋
USJ
弁天町駅
舞洲
ユニバーサルシティ駅
桜島駅
此花大橋
大阪環状線
夢舞大橋
夢洲
大阪港
大阪港咲洲
トンネル
コスモスクエア駅
夢咲トンネル
咲洲

第1章

なぜ大阪は地盤沈下したのか？

1 大阪の落日

35年前、初めて訪れた大阪

御堂筋という大阪のメインストリートを初めてタクシーで通ったのは、１９８５年（昭和60年）のことだった。

きらびやかなネオンとイチョウ街路樹の緑に目を奪われる。車が川の流れを遡上する鮭の群れのように全て同じ一方向に向かって走る。６車線の道。こんな大きな一方通行を走るのは、初めての経験だった。

大阪市の中心部を南北に縦断する御堂筋。大阪人に一番親しみのある道でもある。大阪市の北の玄関「梅田」と南の商業地域「難波」を一直線につなぐ。全長は４０２７メートル。幅は43・6メートル。６車線の一方通行はまさに圧巻。

「知っているか。この御堂道は、第7代の大阪市長、関一はんがな、昭和の初めの頃に都市の大改装計画を考えはって、キタとミナミを結ぶ、全長4キロの大きな道を作ったんや。最初は、船場の真ん中に飛行場でも作るのかいなと言われたそうやけれど、見事に完成したんや。立派やろ」と東京から一緒に来た大阪出身の友人が語る。

彼は、いつも東京でも関西弁で通しているのだが、いつにも増して勢いのある関西弁で自慢げに説明をする。

乗っているタクシーは、すごいスピードで車線の変更をしていく。そこに躊躇はない。相手の車の進行は全くもって御構い無し。「俺の車の進む道を邪魔するなよ」という運転手の心の声が聞こえる。「ここで僕が運転するのは、恐らく無理だな」と心の中で呟いてしまう。

大学4年生の私は、就職試験で初めて大阪を訪れた。民放のアナウンサーを志望して、東京や大阪のテレビ局を受験。正直なところ大阪のテレビ局に行く気は、ほとんど無かったが、東京キー局と併願する形で、行ったことないし、一応、準キー局と呼ばれ自社で制作する番組も多少あるみたいだから、大阪局も受けてみるかしらと、物見遊山で訪れた大阪だった。

阪神タイガース、21年ぶりの優勝

しかし、その大阪の街に私が、今の今まで、どっぷりと浸かってしまうとは、この時は夢にも思わなかった。

東京から一緒に大阪のテレビ局を受ける事になった、大阪出身の友人と同級生に連れられ、梅田から大阪一の繁華街「心斎橋」に着いた私たち。その夜の事は今でもはっきりと思い出せる。

百貨店・大丸。緑の丸に大の文字の看板が夜空にそびえる、立派な建物の前でタクシーを降りた。心斎橋商店街の賑やかな人の河。東京とは違う街の匂い。たこ焼きや串揚げのソースの香りが鼻腔にたまる。男性も女性もファッションは、原色やヒョウ柄が目立つ。看板やネオンもピンクや赤。香港や上海、ハノイ、アジアの都市を訪れた時と同じ空気を感じる。会話の声も大きい。アーケードの天井に反響する言葉の大きさ。

阪神タイガースのユニフォームや法被を着ている人も多い。

その年の1985年に優勝した阪神タイガース。吉田義男監督のもと、1964年以来、21年ぶりのリーグ優勝。1リーグ制で数えると38年ぶり、2リーグ制になってからは初の日本シリーズを制して日本一に輝いた。1番・真弓明信、3番・ランディ・バース、4番・掛布雅之、5番・岡田彰布の強力打線。街のあちこちにポスターや選手の名前のシールが貼られている。人気は今が絶頂なのだろう。

アーケードを抜けた。黒い川が流れている。テレビ画面で阪神タイガース優勝の際に、何度も若者の飛び込むシーンの背景に見た、両手を上げたグリコの巨大看板がそびえる。道頓堀川。その上に掛かる戎橋《えびすばし》。通称、ひっかけばし。橋の上は、午後8時の時間でも芋洗状態の大変な賑わいだった。

「ほんまゃなー」「よういうわ」「アホちゃうか」大阪弁の洪水。昔の関西ドラマで聞いたことのある「もうかりまっかー」「ぼちぼちでんな」「まいどー」はもう流石に死語のようだ。

「ほな、飲みに行くか」と友人が促すが、もうすでに大阪の勢いとパワー、原色の洪水に頭の奥が痺れる様なめまいを感じていた。関西のパワーとポテンシャル。その意味を深く知るには、まだそれから数十年かかる。

その翌年の1986年（昭和61年）、私は当時、大阪の南森町にあった読売テレビにアナウンサーとして入社し、辛坊治郎アナウンサーや、羽川英樹アナウンサーらと机を並べ、仕事をすることになる。その頃から奇しくも大阪の転落が始まっていく。

辛坊治郎氏との長い付き合いの始まり

当時の読売テレビアナウンス部長・下山英三さんの一言が私の人生を決めた。「All or Nothing―君がアナウンサーとして会社に来てくれないなら、今年は誰もとらない」

この言葉がそれまでまったく無縁で、自分では行く気のあまり無かった、大阪への切符を手にする切っ掛けとなった。

そして、もう１つの決め手はあるテレビ番組だった。

１９８５年（昭和60年）８月12日に、羽田発大阪行き日本航空１２３便ジャンボ機が群馬県・御巣鷹の尾根に墜落。乗客・乗員５２０人が死亡、４人が重傷を負った。犠牲者が出たのは４０１世帯、うち22世帯は一家全員が亡くなるという、世界の飛行機事故に今でも記憶される悲惨な事故だった。

「日航機墜落事故」の翌朝、まだ事故現場の確定や事故の全貌が明らかにならない中、各テレビ局は、早朝から未曾有のジャンボジェット機の遭難の大ニュースを放送していた。各局とも出来るだけ東京で集められる情報をかき集め放送していたが、情報の無さは、同じニュースのリピートに現れ、伝える各局のキャスターも苦労していた。

墜落現場の特定は、この時点でまだ出来ておらず、群馬県の山中との未確認の情報にとどまっていた。

大学4年生の私は、東京のアパートで、マスコミを就職の目標にしていたという理由では説明出来ない、なんとも言えない不安感からテレビの報道番組に釘付けとなっていた。

そんな中で、冷静沈着、丁寧に、行方不明の飛行機の機体情報や昨夜からわかっている情報のまとめが、信じられないほど丁寧で、情報量のあるコメントが分かりやすいひとりのニュースキャスターに目が止まった。

日本テレビ系の朝の情報番組『ズームイン!!朝!』を仕切る、若き辛坊治郎キャスターだった。いつもの司会の徳光和夫さんが、たまたま夏休み。ピンチヒッターでの登板だった。まだ20代後半の辛坊さんは、持てる全ての知識を、短い言葉で盛り込みながら的確に解説し、新情報が有ると慌てず、瞬時に、誰でも理解できる簡単な言葉に噛み砕き伝える。「この人は凄い。誰だ」。それまで番組確認のハシゴのため、せわしく動かしていたテレビのリモコンボタンの手が止まった。「読売テレビ・辛坊治郎」。名前を記したテロップの文字が短く画面に出た。瞬時に頭に刻んだことを今でも思い出す。

この辛坊さんとの偶然の出会いと興味が、その後の私の人生の方向と読売テレビ選択をしたきっかけの1つだったことは、間違いないと思う。辛坊さんとの長く濃密な付き合いもここから始まったのだった。そして大阪という街との付き合いも……。

西川きよし氏、突然の出馬宣言

大阪の不思議さを体験する最初の大きな出来事が、新入社員の私にふりかかった。

1980年代、フジテレビの『THE MANZAI』や関西テレビの『花王名人劇場』、日本テレビ『お笑いスター誕生!!』などの番組が仕掛けた「漫才ブーム」を追い風に、それまでも人気だった西川きよし・横山やすしの漫才コンビ「やすし・きよし」は、大人気を獲得していた。全国的な人気を誇るコンビに衝撃が走る。相方のひとり、西川きよし（本名・西川潔）氏が、参議院選挙・大阪選挙区に無所属で立候補すると表明したからだった。

改選数は3議席。各党の公認や推薦を受けた候補者はすでに決まっていた。投票率は前回の結果から約60％程度、当確ラインは得票数70万票前後が大方の予想だった。が、しかし、突然の西川きよし氏の出馬宣言で票の行方は、全く読めなくなってしまった。いったい西川氏がどれくらいの得票をするのか。そもそも漫才師が当選するのか。

私は、大学時代にフィールドワークや開票所の出口調査で当確予想・選挙分析で注目されていた政治学者、福岡政行（当時・駒沢大学法学部助教授）氏に師事した。大学のゼミナールで事前の選挙分析や投票行動研究を、福岡先生に徹底的に指導された。

永田町の国会議員事務所や田中角栄元総理のお膝元・衆院新潟3区をくまなく歩き、利益誘導還元型政治のシステムを研究し、国政や都議会の選挙にも密着取材をした。

そんな私にとって、大阪の選挙は不思議でならなかった。政治経験が全く無い、有名タレント候補が突然立候補し、しかも、一番の有力候補としてマスコミが大注目している。選挙そのものの、政策争点はあまり見えず、ただ人気取りだけで、選挙戦が進む。マスコミも有権者も祭りの様に選挙を捉えている。そのことに大きな違和感を覚えていた。

この選挙は、時の政権を握っていた、中曽根康弘総理の判断で衆参同日選挙となった。当時の関西は、関西新空港の建設と関西文化学術研究都市の計画など、巨大プロジェクトも相次いでいた。バブルの絶頂期の頃。街は表面的には活気が満ち溢れていたが、一枚紙をめくると、貧困や格差、汚職や得体の知れない利権が蠢いていた。

この頃、大阪や関西周辺で異例の撮影が敢行された米国・ハリウッド映画『ブラック・レイン』（89年公開・監督・リドリー・スコット、主演・マイケル・ダグラス、高倉健、アンディ・ガルシア。松田優作の遺作として知られる。大阪を舞台に日米の刑事がヤクザ組織と戦う物語）に映し出される、光と闇の対比と湿度のある陰鬱な風景は、大阪の別の一面を象徴的に捉えていたと感じる。

のちに、闇の蠢きは、大阪を舞台とした、戦後最大の経済事件「イトマン事件」や大阪市千日前にあった料亭「恵川」の女将・尾上縫の数千億円にのぼる、巨額詐欺事件を引き起こしていく背景につながっていく。

「おもろい」が投票に結びつく大阪独特の政治

話を選挙に戻そう。

この時の、自民党は、元府議会議長の新人・京極俊明氏が、前年立候補に名乗りをあげ、自民党の公認を獲得していた。京極氏は組織を固め、いち早く活動を活発化、保守票の掘り起こしに躍起となっていた。

その背景には、現職の中山太郎氏（鈴木善幸内閣で沖縄開発庁長官、海部内閣で外務大臣を務めた）が自民の空白だった衆院大阪5区への鞍替えが既に決まっていて、自民党としては衆参同時の勝利を目指していたのだった。

「キー坊の出馬で大変や。番組は、いったいどないすればいいいんやろ。横山やすしさんだけでいくしかないなー。やっさんは、ボートと酒で遅刻魔やからな。ちゃんと番組収録出来るかしら。心配やなー」

キー坊とは西川きよし氏の愛称。

高視聴番組を数多く持っていた人気タレント、西川きよし氏の出馬で、テレビ局の内部にも、あちこちでため息が漏れていた。相方のやっさんこと横山やすし氏は、破天荒で遅刻の常習者。気分が乗らないと競艇場にいってしまい、番組ともトラブル続出。

それをうまくまとめてくれていたのが、相方の西川きよし氏だったからである。当然のように番組やテレビ局にも波紋が広がった。お笑い担当のプロデューサーは局の垣根をこえ、調整や情報収集に必死だった。

介護や福祉の問題に興味があったという西川氏だが、政策や選挙については、取材をすればするほど、素人という印象が強まった。

組織も皆無。ポスターもギリギリで撮影。選挙参謀と呼べる選挙の経験の有る人はいない。選挙事務所に顔を出すと、テレビ番組のＯＢや制作会社関係者が机に腰を下ろして談笑している。危機感に乏しく「選挙戦略は大丈夫かしら」と疑念が生じる程だった。

しかし、一歩街頭演説や、選挙用語でいう桃太郎（街を候補者が握手しながら支援を訴えて歩くこと）を行うと、あっという間に人だかりが生まれ、取材陣も身動きができない程だった。選挙の素人という心配をまったく覆す、凄まじい人気が西川氏にあったことも間違いない。

西川候補が街を歩くと「庶民の気持ちがわかるのは西川きよしさんだけや」「他の政治家に出来ないことしてや」と大きな声援が飛ぶ。

知名度は抜群。「おもろい人」がそのまま投票に結びつく、大阪独特の政治を初めて私は体験した。

1983年の大阪の参院議員選挙には、後に大阪府知事になる漫才師の横山ノック氏が立候補し、86万7000票を獲得。トップ当選を果たしていた。

また朝日放送の人気アナウンサーから政治家に転出した、中村鋭一氏は、1980年に参院選に出馬し、94万3000票を集めて当選してきた。

大阪特有の「おもろい人」にこれまでも政治を託してうまくいってきたという感覚もあったのかもしれない。

それとも「政治家がいくら頑張ったところで、国は変わらない。だったらおもろい人でいいやないか」という斜に構えた、大阪人にしかない、独特の強烈な、お上への対抗意識が根底にあったのかもしれない。

7月6日に投開票が行われた、第14回参議院通常選挙大阪府選挙区。21人が立候補し大激戦を繰り広げた。暑い夏の選挙を制したのは、無所属の西川きよし氏だった。102万2120票を獲得し、堂々のトップ当選を果たした。得票率は、実に26・08％に達した。波乱の選挙を必死で戦った、自民党の京極氏は4位で涙の落選。「きよし台風」の影響をもろにかぶった格好となったのだった。残りの2議席は、公明党と日本共産党候補が奪取した。

最終投票率は66・46％。西川氏は92年の第16回参院選挙でも、次の第18回参院選挙でもトップ当選を果たし、選挙での圧倒的な強さを見せた。

ちなみに横山ノック氏も改選の89年、第15回参院選挙では2位で当選、得票率20・73％、得票数は80万4626票をマークした。

これまでも全国的に、政治へのタレント議員進出の潮流はすでにあった。

1968年（昭和43年）の第8回参院選挙では、放送作家の青島幸男氏、作家の石原慎太郎氏、同じく作家の今東光氏らが当選している。

その後も、NHKアナウンサー・司会者の宮田輝氏、女優の扇千景氏、落語家の立川談志氏、テレビ司会者の八代英太氏、ニュースキャスターの田英夫氏、女優の山東昭子氏らが当選し、タレント議員の系譜や、知名度を武器に戦う政治家のケースは、現在でも存在する。

ただ、この西川氏の選挙のケースと明らかに異なるのは、その他のタレント候補には、少なくとも、何らかの政治的なバックボーンや政治参加への意欲、立候補したことへの意味付けや本人の政治家としての資質、政策に対しての専門知識が求められてきたように感じる。

タレント本人の人気に加味して、政治家としてどんな能力と仕事が出来るのか。他の地域の選挙でのタレント候補の選挙のケースでは、有権者は、少なくとも、政治家の能力をある程度見極める。また、有権者の投票選択は政党の支援や本人の政治意識、能力が背景に有る事を忘れてはならない。

西川氏はその後、福祉政策や介護関連の法制度整備に尽力したが、この初当選の時、西川氏に、国会議員としての政策遂行能力を求めて、投票行動を起こした人は少なかったように思う。あくまで「おもろい人」「庶民感覚を忘れないはずだろう」という曖昧な印象が、投票基準の根底に流れていたことは間違いではない。

政治が身近になり、選挙に関心があつまる。そして人気を呼ぶという点でタレント候補のメリットもある。しかし、それだけではダメだということを、この後、横山ノック知事の不祥事で大阪府民は知ることになる。

結局選挙で候補者を見極めなければ、有権者は裏切られる。民主主義や選挙の大原則を大阪府民は、思い知らされる事となるのだ。

そのことに気づくために大阪の人たちは、この後も、高い授業料を払い続けなければならないのだが、この時はまだ、西川きよし氏の勝利の破顔の笑顔をテレビで見ながら、祝杯を上げるだけに過ぎなかった……。

開票の翌日、改めて地下鉄谷町線の南森町駅の近くにあった、関西テレビの関連制作会社テレビスタジオで勝利会見をした西川きよし氏。日本中のマスコミ、テレビ局が集まり、見たこともないカメラの台数と凄い熱気に溢れかえっていた。

各番組の生中継が入り、西川氏は、選挙戦でかれてしまったしわがれ声で「小さいことからコツコツとやってまいります」

「みなさんのお力を忘れません」と涙を浮かべた。

西川氏のトレードマークの大きな目を少し充血させ、これでもかと開き、詰めかけたマスコミ陣を見渡した。

そして夫人のヘレンさんとともに深々と頭を下げた。

私も取材参加をしていた、読売テレビの西川きよし候補密着の選挙特番は、日本テレビ系列の全国ネットのゴールデンタイムで放送され、異例の視聴率20％以上を記録した。大阪のタレント選挙の全国的な注目度を改めて知らしめた。

その後西川氏は、２００４年7月まで参院議員を務め、政界を引退。現在もタレント活動を続けている。


「タレントが選挙に強い大阪」のイメージは、このあと橋下徹大阪府知事誕生まで脈々と受け継がれていく。ただ、橋下知事が他のタレント政治家と違っていたのは、彼の持つ、政治的なセンスと類まれな実行力。

そして浅田均氏、松井一郎氏という大阪の政治を熟知した事務方がバックに存在したことが大きいと私は思う。この橋下徹氏と維新誕生については、後の章で詳しく解説したい。

初めての大阪での選挙取材の経験。大阪という独特の民意と意思決定のパワーに、私は、底知れぬ何かを感じた。そんな選挙だった。

2 大阪万博の「負の遺産」に縛られた街

『11PM』でのドヤ街への密着取材

80年代後半の大阪は、東京から来た私にとって異文化の街だった。テレビから始まった漫才ブームで関西弁が東京でも脚光を浴び、明石家さんまや笑福亭鶴瓶、島田紳助・松本竜介、今いくよ・くるよ、西川のりお・上方よしお、春やすこ・けいこ、ザ・ぼんちなど関西の漫才師や芸能人が大活躍していた。

私は、作家の藤本義一氏が司会を担当する番組のリポーターを担当することになった。番組名は、日本テレビ系の深夜番組として一世を風靡し、大人気だった『11PM』。番組は、火曜日と木曜日は大阪の読売テレビスタジオから生放送。

残りの月・水・金曜日は東京・日本テレビから放送されていた。初代の司会者・大橋巨泉氏から交代した作曲家の三枝成彰氏とタレントの高田純次氏が月曜日、そのほかはタレントの所ジョージ氏や俳優の村野武憲氏・フリーアナウンサー吉田照美氏がバトンを引き継いでいた。

しかし、関西の読売テレビでは、１９６５年（昭和40年）の当初から藤本義一氏がメイン司会者として君臨し、日本テレビとはまったく異なったテーマや番組制作を行っていた。もともと、午後11時というと、当時のテレビ番組にとっては、不毛の時間帯だった。今では想像ができないだろうが、家庭は午後10時すぎには就寝。11時をすぎる時間帯はスポンサーもつかず深夜帯と区分され「視聴率不毛の時間」と言われていた。

そこに時事問題やお色気、情報を盛り込んだ「大人の深夜のワイドショー」を作りあげた。釣りや麻雀、ボウリング、セーリング、風俗、ベトナム戦争や原発問題、公害など硬派なテーマも扱う、まさに大人の番組だった。

その番組の中の密着企画で、大阪のドヤ街・西成区「あいりん地区」の取材を担当した。大阪西成区あいりん地区。「釜ヶ崎」を含む地域。大阪市西成区の北東部、ＪＲ大阪環状線の新今宮駅の南側に位置する地区を指す。

ただし地図には、あいりん地区や釜ヶ崎の表記はみあたらない。あえていうなら「萩之茶屋」や「太子」という地名のあたりだろうか。また「ドヤ街」の「ドヤ」は「宿」の逆さ言葉を示す。

天王寺駅の近くにある大阪のシンボル通天閣からもほど近い。

簡易宿泊所が集中するドヤ街。

路上生活者や多くのホームレスがたむろする。

仕事も住民票も無い人々も多い。

日本最大の日雇い労働者の街。現在も生活保護受給者は、約2万5000人に上り、西成区の全人口の約4分の1に上る。ホームレスは約500人。これも大阪市全体からみると約6割にあたる数字。

地区の中心に位置する通称「三角公園」には、常時ホームレスが集まり、午前中から酒を飲む姿は普通の光景。東京の山谷、横浜の寿町と並ぶ、言葉は悪いが、日本三大ドヤ街としても知られる。日雇い労働者と生活困窮者が集まる。

1988年（昭和63年）の大阪府警の調べでは、東京・山谷地区の日雇い労働者は7454人。対する、大阪のあいりん地区は、1万8981人。

倍以上にも上る。

取材に行くまで私は、あいりん地区という名前は知っていたが、実際に足を運ぶ事はなかった。なぜなら、大阪人ですら「あそこは行かんほうがいい。やばい街やから」と注意されるほどだったからだ。

全国から大量に集まった単身男性労働者

なぜ、日雇い労働者の町、あいりん地区に生活困窮者がこれほどまでに集まることになったのか。

そもそも、あいりん地区は、池田勇人政権の頃の、高度成長期以前から大阪の下町として存在していた。１９７０年（昭和45年）の大阪万博開催にあたって、その開催の数年前から、大阪の街の整備や巨大公共事業プロジェクトのために、全国から大量の労働者が大阪にかき集められたことに端を発する。

大阪の北、大阪府吹田市の千里丘陵の鬱蒼とした竹林を開墾し、甲子園球場の約83個分、３３０ヘクタールの広大な土地を作りだした。太陽の塔を中心に、遊園地や自然の森、32の展示館が建設され未来都市が大阪に現出した。

その他にも大阪万博を契機に町の整備や公共事業がいたるところで行われた。地下鉄御堂筋線の終点だった江坂駅と千里中央駅を結ぶ、万博アクセス線の北大阪急行電鉄の建設や地下鉄堺筋線と阪急千里線の延伸工事。千里ニュータウンの住宅地や商業施設の建設、新御堂筋（のちに国道４２３号）の延伸整備工事など、万博の開催にともない、巨大公共事業が次々と行われた。

そして、その建築を担ったのが全国から集まった、単身男性労働者たちだった。労働需要の高まりは、この後、ある種の労働者バブルを引き起こす。大阪万博は結局、記録的な人気を誇り、約6421万人が来場し、約4兆9509億円の莫大な経済効果をもたらした。

光の横には影が募う。

大阪万博が閉幕し、膨大な労働力は、次の仕事場を探す。

しかし、歴史は不況という次の時代の波に巻き込まれていく。

数年後のオイルショックは、全国から集まった単身男性労働者に容赦無く冷や水を浴びせる。慢性的な雇用不足。その後の不況やバブル崩壊も、失業者増加にどんどん追い討ちをかけていった。

一部の経済学者は、大阪の地盤沈下は、1964年（昭和39年）の新幹線開通から始まったと指摘する。

確かに山陽新幹線が1972年（昭和47年）に開通し、飛行機の路線も整備され、大阪が単なる通過点に過ぎなくなったという部分は正しい。しかし、事はそんなに単純では無い。国内有数の繊維業界、そして製薬会社や家電メーカー、商社や銀行などの金融機関の集積を誇った大阪が斜陽化していった理由は様々だ。

大企業が本社を東京に移す動きを加速化し、大阪の地盤沈下が誰の目にも顕著になるのは、このあとのこと。

そこには、大阪人の自信喪失も大きく作用していた。

中でも、大阪凋落の予兆を、最初にむき出しにしたのが、余剰労働力の吹き溜まり。西成区「あいりん地区」だったのではないだろうか。

大阪一の暴力汚染地域での出来事

午前4時すぎ。読売テレビをワゴンタクシーで出発。カメラマンやディレクター、音声、撮影助手とともにあいりん地区に向かった。

車の中でみんな無口だった。

一番年上の経験有るカメラマンが「人と目をあわせるな。必ず一緒に行動すること。機材や備品から目を離すな」と注意点を口にする。

チームに緊張感が走った。取材ロケ初日のことだった。今日は「あいりん労働福祉センター」の取材を行う予定だ。

センターでは仕事を求める労働者で長い列になっていた。

ディレクターが待ち合わせていた顔役の初老の男性に挨拶をし、テレビ番組の記念品と日本酒を渡す。

どうやら取材の仁義のようなものらしい。

彼に挨拶しておかないと何が起こるか分からないと脅される。

汗とアルコールと何かが腐った様な匂いと、カビの匂いが鼻腔に残る。いっきに空気を吸い込むとえずきそうだ。5時に開門。みんな作業着に地下足袋姿。中年から背中の曲がった老人の姿もある。虚ろな眼差しで、よれよれの新聞を読んだりタバコを吸っている。手にした新聞をよく見ると新聞の日付は数日前のものだ。労働者を現場に運ぶ車が並ぶ。

「雑役　1万円」「建築現場　1万円」。

車にはマジックで殴り書きされた、金と仕事内容が書かれたポスターやホワイトボードがぶら下がる。

労働者が運転手や手配師と話す。カメラを回そうとしたカメラマンに首を振る顔役。ここではどうやらカメラ撮影はご法度らしい。遠くへ離れて撮影しろと指示がでる。若い人はあまりいない。

ディレクターに小さな声で実況を促される。マイクに話していると、ほどなく異臭が鼻をつく。

「兄ちゃん何とってんねん」

どこから現れたのか、視点の定まらない初老の男が、震える指先を僕らに向ける。ギョッとする私たち。顔役が間に入り事なきを得たが緊張が走った。

「みんな怠け者で仕事が無いんじゃない。不景気でやむなく、ここで暮らしているのさ。体を壊したら酒しかあらへん。みんなしゃーないんや」

顔役の声はやけに優しかった。

その後、木造2階建ての1泊2000円の簡易宿泊施設も取材した。3畳1間。新潟から出稼ぎし、故郷に帰るにも家族から縁を切られたという50代の男性は、もう数年ここで暮らしているという。

酒の匂いがする部屋が彼のホッと出来る家だった。

町の美化のためという名目で、木造の簡易宿泊施設がどんどん壊されていた。代わりにビルに建て替わっていく。聞けばアルコール中毒や結核で倒れる労働者も多いという。

その日の取材は、少し目を離した隙に、カメラバッテリーが1個盗まれたし、カメラ助手に、酔っ払いが酒を吹きかけた。「今日はたいしたことなかった。前はいきなり、音声

放火事件も起きた西成暴動

スタッフが殴られたからなー」。
　取材を終えて、車に乗り込み、カメラマンとディレクターが安堵の表情を見せた時「えらいところに来た」と私の顔は曇り、どっと疲れが出たのだった。

　西成区「あいりん地区」と言えば、もう1つ忘れられない出来事がある。1990年(平成2年)「黒い交際」の疑惑が浮上。暴力団幹部と西成署の現職刑事が癒着。贈収賄容疑で逮捕されたのだった。
「警察は信用でけへん」とあいりん地区の労働者が石を投げ抗議。暴動騒ぎとなってしまった事件だ。西成署から400メートル北にいったところにある、阪堺電軌阪堺線南霞町停留場、横の道路に1000人以上の労働者らが集まり、機動隊と対峙。群衆の中から出た「やってまえ」「悪いのはおまえらポリやろー」という大きな罵声が上がった。声を切っ掛けに、労働者らは石にブロックや空き缶、空き瓶を機動隊に投げつけ、大きな騒ぎとなってしまった。

車に対する放火やガスボンベまでも投げ込まれ、騒然とした。すると、事態を収拾しようとしての事だったのだろう機動隊がガードする西成署前で警部補が群衆に向かっていきなり土下座をした。まるでドラマのワンシーンだった。しかし事態は収拾できなかった。

その後も深夜スーパーや無人食料品店が襲われ、棚にあった食料品が強奪され、放火されてしまった。群衆は1000人以上に膨れ上がり、暴走族や野次馬も加わり、暴徒以外の何者でも無い状態となっていく。

出動した機動隊は約1500人。1週間に及んだ暴動での逮捕者は、55人（1990年10月8日）。そのうちの労働者の逮捕者は33人で、残りの16人は暴走族や遊び感覚の若者だった。

これまでも暴動は何度か起きてきた。その多くは悪質手配師の労働賃金のピンハネ。劣悪な労働環境に対する不満が原因だった。

そんな中、一部の暴走族が暴動を面白がって煽ったことが騒動が大規模化した原因だったとはいえ、この暴動の最大原因は、労働者を食い物にする暴力団の存在と労働者の鬱積した不満にあった。その嫌悪する暴力団から賄賂を受け取っていた、警察と刑事に労働者の大きな怒りが向かったのも当然と言えば当然だったと言えよう。

「シノギ」と呼ばれる労働者に対する路上恐喝や、暴力行為。警察の摘発は行われていたが、警察と暴力団も内通し、当時、あいりん地区は、大阪一の暴力汚染地域として恐れられていた。

一番荒れていた頃の西成区あいりん地区の話だったが、現在に目を転じるとどうか。厚労省の2003年の調査では、全国の野宿者は2万5296人。そのうちの4分の1は大阪市が占める。大阪市は2000年の頃には、野宿者向けの住まいとして、市内の公園に仮設の一時避難所を設置した。

その後、生活保護の受給を勧めてホームレスは劇的に少なくなる。大阪城公園（中央区）や、長居公園（東住吉区）、西成公園（西成区）を占拠し、普通に公園を使用する人たちが公園を遠ざける要因となった。

そんな大阪の公園にもブルーテント暮らしのホームレスも今は皆無だ。ここまでの道のりは辛く険しかったのだが。

あの衝撃的だった「あいりん労働福祉センター」も最後は、閉鎖に抵抗する労働者の抗議もあったが、建物の老朽化を理由に、２０１９年（平成31年）に閉鎖された。

3 大阪を彩る繁栄と活力の歴史

古代から繁栄していた大阪の街

直木賞作家で放送作家・司会者でもあった藤本義一氏にテレビの事や大阪の事を沢山教えていただいた。

「大阪人は権威が大嫌い。でも目立ちたがり屋」「美学よりも儲けや実利を好む。でも、最後は採算度外視の博打もする」「東京やお上への対抗心はいつもむき出し。それは巨人嫌い、弱くても大好きな、阪神びいきによく出ている」「東京が嫌いだけれど、一番気になるのも実は東京だ」

藤本さんは、大阪と東京をよく比較し、そんな事をいつも話されていた。

当時、放送の合間や反省会の後、藤本さんに聞いた事をメモしていたが、その意味をあまり気に留めていなかった。古い私のメモに残された言葉を読み返してみると、納得いくことが多い。私も大阪生活が長くなったからかもしれない。

藤本さんの指摘にある様に大阪人の永遠のライバルは、花の東京だ。東京の人はそんなことをかけらも思っていない気がする。しかし、大阪人はそうはいかない。腹の底に「東京に勝てないのは、正直わかっている。でも心底悔しい」という思いがあるからに違いないと私は分析する。

歴史や経済の側面から話を続けたい。

大阪はその昔、経済視点から見ても、何度も日本の中心地域となった。古くは、瀬戸内海と都のあった奈良や京都をつなぐ、貿易の玄関口として栄えた。

また、5世紀の頃には、今の大阪市中央区のあたりに難波津《なにわづ》という港が作られ、中国や朝鮮半島、アジアから大阪の地に、工芸品、鍛冶技術、布、先端技術の数々がもたらされ、その情報や技と知識は日本中に伝えられていった。

仏教も伝来し、聖徳太子が593年に四天王寺を建立したとされる。また難波宮跡公園として親しまれる難波宮《なにわのみや》が、孝徳天皇により645年に築かれる。大阪の地に都もあったという歴史は興味深い。

大阪はその後も、貿易や商業の中心としての重要なポイントをしめていく。

大阪の上町台地を欲したのが、戦国武将の織田信長。当時の地形では、上町台地は、大阪湾に大変近く、合わせて、広範囲に大阪の地を見渡し支配できる絶好の地でもあった。また、大和川と淀川に挟まれた、難攻不落の自然の要塞的場所でもあった。

しかし、上町台地の中心、石山本願寺は、織田の攻撃に10年以上も耐えたものの、ついに陥落した。

水路を活用し、物流拠点として大阪を益々活用しようと企んでいた織田ではあった。そんな野望は、明智光秀の謀反で潰えてしまう。その後、織田の意思を継いだのは、後継者・豊臣秀吉であった。

1583年に大阪城を築城。塀を張り巡らせるために大規模な土木港湾工事が行われ、大阪湾は扇の様に広がりを見せていく。

しかし、豊臣秀吉の没後、1614年の大坂冬の陣、翌年の大坂夏の陣によって大阪城と町は、戦火により焼かれてしまうのだった。

江戸時代になると町は、経済都市として復興し、物資や米などの売買が頻繁に行われ、「天下の台所」とも呼ばれ発展する。

浄瑠璃、歌舞伎、能などの今に続く、数多くの伝統芸能と文化が、江戸の町とは異なる形で、時には江戸と大阪、互いに影響しあいながら「上方芸能」として花開いてくのだった。

幻で終わった「大阪遷都案」

明治維新でも、大阪は逞しく生き延びる。

1868年（明治元年）、首都を大阪にするか江戸にするかで大もめに揉めた出来事があった事は、人々の記憶から薄れてしまった。

実は、私も2019年8月8日付けの日経新聞の記事を読むまで知らなかった。

記事によれば、当時はまだ「大坂」と表記されていた大阪に遷都を試みたのが、新政府の参与だった大久保利通。

これに真っ向から反対したのが、郵便制度の生みの親で、江戸遷都を唱えた、前島密だったという。

明治元年3月から40日余り。

明治天皇の大阪行幸が行われた。総勢約1700人を伴って京都を出発。大阪に入り、本願寺津村別院、今の御堂筋沿いにある北御堂を行在所とした。その際、天保山に足を延ばし日本初の軍艦を視察する、観艦式も行なったそうだ。

この明治天皇の行幸の切っ掛けは、大久保利通が思い描いた大阪遷都の考えがベースにあったというのだ。

俄かには信じがたいのだが、1867年（慶応3年）12月に王政復古を成し得た新政府は、翌年、幕府軍に対して鳥羽・伏見の戦いで勝利する。新政府軍にとっては、京都に残る古い諸侯や公家などの天皇勢力と、幕府の勢力を同時に断ち切る必要性があった。

大久保は外交、商業、交通などの利点から大阪遷都を主張し、その実現の切っ掛けのために行幸を行った。

行幸は江戸城総攻撃のタイミングと重なる。勝海舟と西郷隆盛の歴史的な無血開城が決裂し、江戸が戦火に包まれていたならどうなっていたことだろうか。大久保はそんな江戸が騒乱に巻き込まれた万一の事を考えて大阪を首都にと思ったのだった。

対して反対した前島密は、江戸遷都を主張。理由は江戸城が使え、藩邸が多く、政府の建物に転用でき、しかもこれから開拓に力を注がねばならない北海道のことを考えると、日本の中心は東京が便利。

大阪は街が小さく、港湾も整備が必要だが、江戸は道が広い。周辺に港湾施設も存在し、拡張も容易で自由度が高いと言うのが理由だった。

前島の理由の方が、現代の見識を持って、俯瞰して見ると、私は説得力がある気がする。確かに公家や煩い勢力が残る京都に近い大阪だと、新政府がすくなからず圧力や影響を受けたかもしれない。

嫌、大きな影響を受けただろうし、天皇は京都に戻ることになり、京都が都になっていたかもしれない。また、地形的に見ると、大阪湾も広いし良好な港だが、江戸は周囲にも、浦賀や横浜、下田、横須賀など港が沢山存在し、自由度が高い。

また、江戸城を中心とし、徳川幕府を支えていた機能的な都市機構をそのまま使える。ロシアの脅威もあった。開拓すべき東北や蝦夷にも近い。江戸は全国のヘソ的な立地ということも大きい。

結局、江戸の町は世界に類を見ない、勝海舟と西郷隆盛の平和的会議で守られた。江戸無血開城で大阪が首都になることは無かった。

幻で終わった「大阪遷都案」だったが、大阪人から見ると「なんともったいない」と思われることだろうが、今となっては、歴史の「もしも」にロマンを馳せてもらうしかない。

でも、大阪が首都だったらどんな日本になっていただろうか。

「お笑い」好きの地域だけに、少なくとも、この国はもう少し明るい国になっていたかもしれない……。

関市長がもたらした「大大阪時代」の栄光

もうひとつ、あまり知られていない、嫌、大阪に住む人すらも忘れてしまったというのが正しいかもしれない、大阪の栄光の時代を紹介したい。それが「大大阪《だいおおさか》時代」の存在だ。

1889年（明治22年）、市制町村制の施行にともなって、大阪市が生まれた。大阪市は元々の物資の集積地的要素と商売の基盤、市民の積極的な経済行動、海陸の優位な地勢的立ち位置などを背景に発展していく。

そこには太閤秀吉時代の前から脈々と培われてきた「商売人」の気質が受け継がれてきた。「商売」はイコール「経済」。

日本の「経済」の真の中心はやはり「大阪」なのではないのかしらと、そんなことを感じる事も多い。そのあたりも、この後語っていきたい。

横道にそれたので「大大阪時代」の話に戻る。

産業の発展や人口増加は、大阪の拡大を後押ししていく。大阪湾や天保山の築港工事も進められ、1925年（大正14年）、第二次市域拡張が行われ、周辺の44町村が編入され、面積はそれまでの3・1倍、181平方キロメートル、人口は211万人に達した。対する東京市は、日露戦争終戦直後の1906年（明治39年）に初めて200万人を突破している。

しかし、1923年（大正12年）9月1日11時58分に、突如、マグニチュード7・9と推定される大地震が、近代化が急ピッチで進んでいた東京や関東一帯を襲った。内閣府の「防災情報」のホームページによれば、関東大震災の死者は10万5385人、全潰全焼流出家屋は29万3387棟に上った。

甚大極まりない被害が発生したのだった。東京都立大学都市研究センターが出している「総合都市研究　第35号（1988年）」の調査研究を紐解くと、東京市からの流出人口は、ピーク時には約90万人を超えたと推定されるとしている。その被災者の受け皿となったのが関西、すなわち大阪市だった。

関東の経済が大打撃を被る中、バックアップをフルに行い、混乱する日本経済を支えたのも大阪だったのだ。

関東大震災直後の東京市の人口を抜き、日本一になったのは大阪市。この時人々は「大大阪」と呼んだのだった。

しかし、関東大震災の年に助役から第7代大阪市長に就き、11年あまり市長を務めることになる関一大阪市長は、「面積の広きことや、人口の多きことを誇るべきではない。この自由なる進取的の企業精神を活動せしむる根拠地として、大大阪を完成すべきである」と自制的に語った。

関市長は、大阪市の歴史と都市の関係を重んじ、その後、先進的な都市計画の考えを打ち出し、大阪の築港事業の計画や鉄道建設などの大プロジェクトを推進していく。

関市長は、社会政策学や都市計画学の知見をフルに使い、地下鉄建設事業や大阪のメインストリートの御堂筋の拡幅建設、市営バス事業の開始、公設市場の整備、市営住宅の設置を行う。そして、大阪市立大学の前身となる日本初の市立大学、大阪商科大学の創設にも尽力した。

そのほか、淀屋橋や大阪駅前の区画整理や大阪城公園の整備と大阪城天守閣の再建計画にも汗をかいた。都市計画研究の先駆者であり、「シティプランニング」という英語も彼が「都市計画」と訳し、日本に紹介したという逸話もある。

ベルギーやドイツへの留学経験や文部省の官僚的な計画への抗議や、大学教授の閉鎖的世界が嫌で、格下と見られた大阪市助役に転出するなど反骨の人でもあった。

大阪の大規模な都市計画構想は、日本初の試みも多く、市民からは、反発や抵抗も少なくなかったという。しかし、関市長は先進的な考えと緻密な計画を粘り強く実現。頑固に愚直にしかも大胆に大阪の街を発展させていく。

その結果、大阪市は日本一の人口を誇る都市に成長し、世界各国の都市と比較すると、なんと6番目の人口を擁する大都市となっていた。

また、産業においても繊維を中心に製品出荷も大幅に成長。全国一の工業出荷額を誇り、「東洋のマンチェスター」とも呼ばれた。大大阪市が光り輝いていた時代。当時の内務大臣・後藤新平は「都市計画の範を大阪に求める」とリスペクトするなど「大大阪」は、都市計画の優等生として当時の日本を牽引していたのだ。

その後、関市長は、室戸台風による災害復旧を陣頭指揮中に腸チフスで倒れ、在職中に還らぬ人となった。61歳だった。大阪市の人口は298万人に達していた。

大阪市初の市葬が営まれ、8万人が参列したというから凄い。棺には碁石と歌謡曲本の鞍馬天狗、タバコが収められた。残された財産は1万円たらずだったという。
関市長は、大阪市民から最後まで「大阪の父」と呼ばれ親しまれたのだった。

現在、中之島の中央公会堂の木陰にひっそりと関一の銅像が立つ。その偉業を偲び、足をとめる人は少ない。

大阪駅前にあった闇市「ダイヤモンド街」

東京の大空襲は戦争の悲しい出来事として記憶に刻まれ、終戦記念のテレビ特番などでもよく取り上げられるが、大阪の空襲や戦争の爪痕は全国ネットのニュースにあまり取り上げられない印象が拭えない。

大阪も甚大な被害を受けたことを覚えていてほしい。約4000人が亡くなったとされる、1945年（昭和20年）3月の第一次大阪大空襲。大阪は終戦までに、約50回、米軍の爆撃を受けた。大阪全体では、約1万5000人が犠牲になった。戎橋、道頓堀、宗右衛門町は壊滅した。

爆撃機B29が100機以上飛来した「大空襲」は実に8回を数えた。終戦前日の8月14日には、大阪城内にあった大阪陸軍造兵廠を狙い、爆撃。近くの京橋駅にも爆弾が落とされ犠牲者は、約500人に上ったとされる。

読売テレビに通勤するため、JR大阪環状線・京橋駅南口を出て、川沿いを社屋に向かう。読売テレビの社屋や大阪ビジネスパーク内のビル建設の際も、空襲の際の不発弾が見つかったり、焼夷弾が発見され、撤去作業で自衛隊が出動。環状線が停まり、会社に行けなかった事がしばしばあった。

通勤途中にある、慰霊碑に遺族の方が、時折花束をたむけ、手を合わせる姿を見てきただけに、終戦前日の空襲の痛ましさを思わないわけにはいかない。平和は当たり前ではなく、多くの犠牲や人々の苦しみと涙、努力の上にあることを忘れてはならない。

毎年、終戦記念日の前日に行われる慰霊祭を見ながら、私も慰霊碑に手を合わせてきた。


戦後の大阪経済の復興は、中小企業の生活必需品の生産からはじまったようだ。

当然、大阪にも闇市が生まれた。

終戦の1カ月後の9月には、大阪駅東口前の広場に、食料品や物資が並び、夜遅くまで賑わったと、昭和50年に発刊された『大阪・焼跡闇市』(夏の書房)に記述がある。警察の大規模な取り締まりも行われるが、1週間もしないうちに闇市は復活した。そこには、政府の配給が各家庭に回らず、慢性的な物資不足が、飢えや貧しさに追い打ちをかけている

闇市の跡が残る大阪駅前

状況があった。
闇市では自警団や組合も作られ、販売価格の適正化や闇市の健全化を図る動きもあったという。が、実態は犯罪の発生やトラブルも絶えなかった。
大阪駅前には「ダイヤモンド地区」と呼ばれる闇市広場が広がっていった。違法のバラック建築の小屋が立ち並び、賑わうが、警察や米軍の取り締まりも強化されたが、壊されては再生する、いたちごっこが続いたのである。
この大阪駅南側一帯に広がった「ダイヤモンド地区」は、この後、１９７０年（昭和45年）～81年（昭和56年）までにオフィスビルが建てられ、どんどん小さくなり消滅した。

ダイヤモンド地区の名残が、私が関西に足を踏み入れた1986年には、まだ最後の姿を留めていたのを思い出す。

JR大阪駅南側から北新地と呼ばれる大阪一の繁華街、国道2号線に向かって歩く一角。阪急百貨店、大丸百貨店、阪神百貨店、ヒルトンホテル、大阪マルビルなどの立派なビルが立ち並ぶ。

実は「ダイヤモンド地区」という名称は、地価が大阪一高いところであったことや、その地区の土地の形状から名付けられた。不法占拠は、今は昔。繊維街の移転や再開発、ビルの建築で商業地帯に変わった。

しかし、その中に、バラックや10坪たらずの店が数軒集まり、サラリーマンが集っていた場所があった。手付かずで残っていた「旧梅田七番地」と呼ばれた地域。土地の権利関係が複雑で闇市の面影が残り続けていた。

白熱電球と焼き鳥を焼くタレの匂い、そしてたこ焼きのソースの香りが道に漂っていた。麻雀店、焼肉屋、居酒屋、たこ焼き、串揚げ、ラーメン店。大阪の美味しそうな店が集まっていたが、どの店もお世辞にも綺麗でしゃれているという言葉からは程遠い。

「場末」とか「喧騒」という言葉がぴったりの大阪の下町の雰囲気が大阪の一等地のビジネス街に残っていることが、不思議だった。

ビルの一角にそんなスポットが残っていた。それが戦後の闇市の名残だったということは、当時私は、知る由もなかった。

ただ、先輩の「ダイヤモンド街という有名な闇市が、ここにあったんや。その最後の姿がこれ」という説明を不思議な気持ちで聞いたことを思い出す。

そのダイヤモンド地区に、当初は「ダイヤモンドビル」の名称で計画され、現在は梅田DTタワーという、断面がひし形の地上130メートルの高層ビルが建てられた。その地下に広がるダイヤモンド地下街にその名前を残すのみだ。

負の遺産をリニューアルすることへの抵抗感

このダイヤモンド地区が、実は大阪の戦後を象徴的に表す。

戦後、政府や行政が町の整備を進め、土地の買収と区画整理を進めてきたが、大阪は民間の力や独立心が強かった。商売人の町の気風が根付いていた。

再開発計画がそのことによって阻害されたり、戦前にある程度の都市計画が行われていたために、大胆な計画や土地の再活用が進みにくかった。それは大阪駅前だけでなく、難波や心斎橋、天王寺など大阪の一等地のいたるところで起こっていた。そのことは、その後の大阪の発展のブレーキとして次第に効いてくる。

それが一番大きく現れたのが、バブル崩壊の後……。

先進的だった大阪の都市計画は、新たな時代にあったリニューアルへの脱皮を怠った、大阪の街に重くのしかかっていくことになる。

大阪市庁舎に近い、中之島に立つ、都市計画のパイオニアだった関一大阪市長の銅像は、その怠慢をどう思って眺めていたのだろうか。

「ダイヤモンド地区」をなんとかしなければと不法占拠者を退去させ、土地を整備し、「旧梅田七番地」以外は苦労して整理した。

そこに建ったのが、4つのオフィスビルからなる大阪駅前ビルだった。1970年に地上12階、地下6階の大阪駅前第1ビルが完成。

続けて76年に第2ビル、79年第3ビル、そして、81年に最後の第4ビルが完成した。

第1ビルには屋上にヘリポートを造り、伊丹空港と結ぶ計画もあったそうだが、実現されることは無かった。当時としては期待のかかる、大規模プロジェクトだったことがうかがえる。

ちなみに、この大阪駅前ビルに行くたびに私は、東京のＪＲ新橋駅日比谷口前・ＳＬ広場の横に立つニュー新橋ビルと同じ匂いを感じてしまう。調べてみるとニュー新橋ビルも完成が同時代の71年。時代が同じだからコンセプトやデザインに共通性があるのだろう。大阪駅前ビルの地下街は今では迷路の様。

地下は１階、２階と居酒屋や飲食店、安売りチケット店、マッサージ店が軒を連ねる。中古レコード店や楽器店、古本屋などバラエティーに富み、映画の撮影にも使われる昭和から続く喫茶の名店もある。

このあたりもニュー新橋ビルと雰囲気が似ている所以。

ビル上階には、地方自治体の大阪事務所や中小企業の事務所、オフィスなどが入居する。ビルの老朽化と時代の流れの中、空いている部屋も目立つのは致し方ないことなのかもしれないが、それにしても大阪の一等地であることに変わりはない。もうすこし沢山のアイディアを出し、入居を促すべきではと私は強く思う。

建て替えが難しい理由はいくつかあるが、大きな要因としては、区分所有という大阪駅前ビル独特の壁が存在する。

「区分所有」とは分譲マンションと同じで、1つの区画を多数の事業者に分譲し、それぞれが所有する方式。区画売却という形なので、まとまった金が入りやすく収入を得やすい。その代わり、所有者が多岐に別れていて、まとめるのが難しく地権者の再建賛成の同意を取り付けにくい。

この区分所有という壁が、老朽化の建て替えを阻害しているのだ。

しかし、東京では六本木ヒルズの開発で森ビルが長年にわたり尽力し小さな債権者をまとめ建設にこぎつけた例もあるし、丸の内の再開発も同様に長期計画で行われてきた。大阪の再開発にとっても、大阪駅前ビルの再開発は急務だと私は思うのだが、どうだろうか。

ただ、そう言いながら、大阪らしい地下街の名店やサラリーマンの味方、「昭和」の色濃く残る迷宮の様な居酒屋街は、残って欲しいのだが、それは難しい相談なのかもしれない。

大阪梅田の地下街といえば、こんなこともあった。

2015年に、戦後63年間、営業を続けていた人気串カツ店が、大阪市から立ち退きを求められ係争となった。

その店は、大阪市営地下鉄御堂筋線の中央改札から出てすぐ右手、JR大阪駅に上がる階段の横に暖簾を出していた。

カウンターのみ。間口は広いが、客がカウンターに対して角度をつけて立つ。店員から「ダークダックスでお願いします」と良く声がかかった。

ダークダックスとは、男性4人のボーカルグループで『トロイカ』や『雪山讃歌』など美しいハーモニーで昭和の頃、一世を風靡した人気グループ。『エーデルワイス』や『山男の歌』『銀色の道』などのヒット曲で知られる。そのダークダックスが歌う時にとったポーズが4人重なり、右手を前に出しコーラスする姿。その姿同様に、カウンターに右手だけ入れ込み、客が重なり合って串揚げを注文する。

私も同期入社の同僚に初めて連れられていった時には、衝撃を受けた店だった。もちろんソースは「2度漬け禁止」。最近は東京でも関西発を名乗る串揚げ店が増えたので、この言葉自体もポピュラーになったが当時はびっくりした。

串揚げを、目の前に設置してある、四角い底のあるアルミの缶に1度浸す。中には黒くて濃厚なソースが溜まっている。

客のみんなが、個人用ではない、共通のソースを使うのに驚いた。仕事帰りのサラリーマンしかいなかった。滞在時間は一人あたり約15分程度。串1本100円以下がほとんど。

値段の高いネタは串の上に赤い印がつく。串の数で値段がわかる仕組み。

阪神百貨店の建て替え計画と地下道の拡張工事に端を発して、道路占用許可の打ち切りが通達された。これに店側が猛反発し騒動に発展。強制撤去を行う行政代執行の手続きも進んだが、最終的には自主的に退去、閉店となった。


大阪には混乱と昭和の匂い、そして負の遺産をリニューアルすることへの抵抗感が東京よりも強く感じる。それは、大阪出身の人が多く、東京の様に地方から移り住んだ人が比較的少ないからなのかもしれない。

大阪愛が強すぎて、変化を好まない保守層をこれまで多く作って来てしまったのかもしれない。また、その重すぎる「大阪愛」がある意味で、歪んだ町の影につながっていったのかもしれない。

片方が愛しすぎると重くなる、恋人の関係にも似ている気がする。

4

どん底に落ちた大阪の社会

大阪府の借金は約6兆円、大阪市の借金は約5兆円！

財政破綻のツケを後世に先送りすることは許されない。バブル期のあとに来たのは、90年代の景気後退期だった。投機意欲の減退と地価の下落、そして不良債権の拡大は景気後退を全国にもたらした。大手金融機関の破綻と貸し渋りや貸し剥がしが町の工場や商店を圧迫、雇用も極端な採用抑制がおこり、就職難民という言葉も流行した。

不況下の経費削減と業務の見直し、規制緩和。荒波が日本列島を襲う。大阪もそれまでは、隠れていた歪みや軋みが、不良債権とともに「豊かなお金」という、それまで、見た目は綺麗な包装に隠れていたが、その包装がすっかり取れてしまい、人々の目に剥き出しになった時代。失われた10年は関西にも深刻な影を落とした。

きらびやかなネオンと高級クラブやスナック、料亭、バー、料理店が乱立する大阪一の高級歓楽街、大阪市北区の北新地でバブルの頃は、終電を逃すとタクシーがつかまらず始発まで飲むこともあった。先輩に連れられていった高級クラブにはプロ野球選手や芸能人が集った。有名デザイナーの服に身をつつんだ客やホステス。

お店のママの誕生日には、道まで胡蝶蘭やスタンド花があふれた。座るだけで10万円や20万円というお札が消えていった。クリスマスイブには、有名ホテルの部屋は全て予約で埋まり、パーティー会場は、ドレスの女性やタキシードを着た男性で埋め尽くされ、ジャズやロックなどのイベントが町中で催されていた。

今から考えるとあの時代を経験していない人には想像もつかないだろう。

そんな夢のあとに来た不況。先進国で最悪という財政悪化は深刻だった。

大阪府は1990年代に急速に財政が悪化。民間企業ならもはや「破産」状態という非常事態に陥る。景気の低迷は税収減を加速した。また、これまでの歳出増による影響で地方債の返済も重くのしかかった。

98年には財政赤字は、3050億円以上にものぼり、実質赤字を630億円以下に抑え込まないと再建団体に指定され、国の管理下に置かれる事態まで追い込まれた。この頃大阪府は、10年間で６５５０人の職員をリストラする案など、歳出削減案を打ち出していたが、破綻寸前の状況にあった。

北海道夕張市が同じ頃、１９９６年度の起債制限比率が24・5％を記録。全国の市町村で最低となっていた。

国から起債制限を受けていた夕張市の状況は極端に悪く、96年度は１９４億円の予算規模に対して、市の税収はわずか6％を超える12億円しかなかった。どうしていたかというと、地方債の発行で食いつないでいたのだ。

しかし、その地方債も国から「もうだめです」と発行を制限されてしまったのだ。

夕張市の財政悪化の最大の理由は炭鉱の閉山と、その後の閉山対策事業だった。観光事業に金を使ったり、映画祭や炭鉱跡地の活用をしようとしたが失敗。

市が経営するホテルも、業績不振で閉鎖。

活性化に躍起となったが、全て裏目に出ていく。そんな中、「明日は夕張」が当時の大阪の姿でもあったのだ。

カラ残業の問題や大阪市職員の天下りの問題など、行政の影の部分がマスコミの報道を賑わせていた。政令指定都市中で最悪な財政環境にあったにも関わらず、職員の給与は川崎市に次いで2番目に高かった。

ただ、大阪の物価の高さもあるから、一概にここは否定できないのだが、それでも財政破綻寸前の状況を考えると、見直しをするのが当然と思う。しかし、役人の気持ちや政治家の気持ちは、変革には動いていかない。

そしてもう1つ、大阪の財政が改善しにくい理由があった。それは大阪府と大阪市が対立を繰り返し、それをチェックする議会も政党の議席や既得権に縛られ、改革を行うことが非常に難しい状況にあったためだ。

例えば、大阪府は高層ビルのりんくうゲートタワービルを関西国際空港の対岸に作った。高さは256・1メートル。建設費は659億円。国際会議場やホテルがある。大阪市阿倍野区にあるあべのハルカスの高さ300・0メートル、神奈川県横浜市のランドマークタワーの296・3メートルに次いで日本で3番目の高さを誇る高層ビル。

実は同時期、大阪市は市で別の高層ビルを建てていた。現在は大阪府咲洲庁舎として使われている大阪南港のWTC（大阪ワールドトレードセンター）ビル。この二つのビルが府と市に別れて高さを競った。

２５６・０メートル。０・１メートルの差でりんくうゲートタワービルの高さが僅かに上回ったのだが、ここにも府と市の無意味な綱引きの後を感じてしまう。

その他にも大阪府立中央図書館は建設費１９１億円、対する大阪市立図書館は１６２億円。同じような機能を持った箱物は、ドーンセンターとクレオ大阪や水道局など多数ある。二重投資は、大阪府と大阪市の財政を蝕んでいく。そして戦略そのものの見通しが甘く、経営破綻を加速させていった。

大阪府の借金は約6兆円に達し、大阪市の借金は約5兆円という最悪の財政危機が目の前に大きな壁となって立ちはだかったのだ。

度々起きた殺人事件、経済事件

大阪に住んでいると東京の友人には「怖くない？」とよく言われる。なんて失礼なと、大阪の会社に勤めて35年以上になった私は、真剣に反論する。すると「大阪って犯罪天国なんでしょ」と追い打ち。なんという誤解だろうか。

確かに「危ない」と感じる時代もあった。それは遠い昔のことだと思う。嫌、確かにそういう側面もあったかもしれない。

例えば、私は会社に入った1986年から数年、大阪市営地下鉄御堂筋線の江坂駅から徒歩5分の賃貸マンションに住んでいた。

新大阪駅まで2駅。梅田駅まで5駅。大変便利な場所だった。かつてはダイエーグループの本社ビルがそびえ、関西初の店舗となる東急ハンズ江坂店やミスタードーナツショップや美味しいお店も沢山あった。

当時、北新地や梅田にも出やすいので、若い女性やサラリーマンも多く住む、人気タウンだった。が、便利なので暴力団関係者やホステスも多く住み、発砲事件や抗争、犯罪も起きていた。

ある時、1日のラストニュースを伝え、夜勤を終えた。時間は深夜1時すぎ。江坂の自宅マンションに着いた。タクシーを降りようとしたらドライバーが「今は車を降りない方がいい」とバックミラーを見ながら声をあげた。

疲れた身体をシートにもたれかけ、うとうとしながら到着したのかと思ったところに突然の声。目が覚めた。後ろを見ると、窓越しに男の姿が見えた。コンビニエンスストアの光が、男の持つ、長い金属を光らせる。

「うぉりゃー」男の叫び。路上にはもうひとりの倒れた男。何が起こっているのかわからない。何人かの通行人が遠巻きに見ている。「ウー、ウー」と赤いライトが灯ったパトカーが急スピードで現れた。

その間、およそ5分もあっただろうか。日本刀を抜いた暴力団風の男が、もうひとりの男を威嚇し、道路に男はへばりついていた。警察が日本刀を下ろす様に声を上げる。素直に従う男。応援のパトカーが駆けつける。

携帯電話の無い時代。私は急いでマンションに飛び込み、自宅の部屋にかけあがり報道のデスクに電話をした。

その後、現場には規制線が張られ、野次馬が遠巻きに見ていた。すぐに救急車が到着し路上に倒れていた男が運ばれていった。怪我は分からないが、大したことは無い様で、自力で救急車に乗る姿が確認できた。駆けつけた先輩記者に状況を話、引き継ぎをした。

新人のテレビ局員には、強烈な出来事だった。

大阪では、暴力団の絡む事件や殺人事件などの凶悪事件も度々起きた。１９８４年から

85年に大阪府と兵庫県の阪神間で起き、未だに未解決の企業脅迫事件、グリコ・森永事件や1985年から94年にかけて4人の女性と1人の少女が殺害された大阪連続バラバラ殺人事件、同じく85年に起きた、テレビカメラや記者たちの前で殺人が行われるという衝撃的事件となった豊田商事会長刺殺事件があった。

合わせて、豊田商事の被害総額は2000億円に上り、日本の詐欺事件簿に大きく刻まれた。

その他にも、92年に大阪府で発生した、自称犬の愛犬家による大阪愛犬家連続殺人事件。2005年、19歳と27歳の姉妹が殺された大阪ミナミ姉妹連続殺人事件。

痛ましい事件として記憶され、この事件をきっかけに全国の学校の警備体制が変わった、2001年の大阪教育大学附属池田小学校で発生した事件では、8人の児童が殺害され、児童と教師15人が負傷した。無差別殺傷事件として、全国の人々の記憶に残る。

私自身も取材を担当し、ニュースとして伝えた事件も多い。事件の真相や発生の理由、そして再発を防ぎたい気持ちが今でも心に強い。

大阪で発生した凶悪事件が多いことは、関西のマスコミに勤める者として、本当に辛いし無念だ。

経済事件に目を向けるとこちらも商都・大阪を象徴するように、商業的基盤の大きさを背景にした大きな事件も目に付く。

戦後最大の経済事件と呼ばれるイトマン事件が90年に発覚している。住友銀行で当時、巨大な権力を握っていた磯田一郎とイトマン社長の河村良彦、在日韓国人でフィクサーとして異彩を放った、許永中。中堅商社イトマンを通じて約3000億円もの大金が闇社会に消えた事件だった。

1980年代後半、天才相場師と崇められた大阪ミナミで料亭を経営していた女性、尾上縫が、神のお告げという怪しげな手法で第一勧業銀行や日本興銀の株を売買。91年8月、詐欺容疑で逮捕された。1日に数百億円という大金を動かし、4300億円という空前の債務を抱えて自己破産した。

また、銀行のオンラインシステムを悪用した日本初の横領事件、三和銀行オンライン詐欺事件も記憶に残る。女性行員が1981年3月、コンピューター端末からオンラインで合計1億8000万円もの架空入金を行う。

その後、1億3000万円の小切手を搾取し、フィリピンのマニラに逃亡する事件が起こる。国際指名手配され彼女は、逮捕。彼女に対して犯罪をそそのかした恋人の男も逮捕された。衝撃的な事件は、その後、テレビドラマや映画の題材にもなった。

新しいところでは、２０１９年、大阪府警が、大阪の繁華街を中心に犯罪行為を繰り返す犯罪集団、半グレグループに対する捜査を強化した。約３００人ともいう巨大組織に膨れ上がった半グレグループは、大阪で派手な生活と特殊詐欺に関与。貴金属店に忍び込み金品を強奪、闇バイトと称してネットやＳＮＳでバイトを募り、応募少年らを脅迫し窃盗事件などに加担させた。

大阪府警は延べ３００人以上を摘発し、取り締まりを強めている。指定暴力団から犯罪は、新たな形に姿を変え、新たな暴力組織も生まれている。

その他にも、安倍首相や昭恵夫人、財務省、近畿財務局を巻き込んで、日本中が揺れた、森友学園問題も大阪府豊中市が舞台だった。

劇的に減少した「ひったくり」犯罪

２０１７年の警視庁犯罪統計によると、全国の警察が認知した刑法犯は、約91万５０００件。この数字を都道府県別に見れば、東京都が約12万５０００件ともっとも多く。次いで2位は、大阪府の約10万７０００件。

しかし、人口10万人あたりで換算すると、大阪府は１２０８件、東京都は９２６件と順位が逆転してしまう。

犯罪の認知件数に対しての検挙率は、大阪府は21・8％となり全国ワースト。犯罪者の5人に4人は逮捕されず、逃げてしまっているという不名誉な記録。犯罪の傾向を見てみると大阪は、粗暴犯と知能犯が全国平均よりずいぶんと高い。

そして、大阪の犯罪の多さで知られるのが「ひったくり」だ。２０００年には、大阪府内でひったくり事件は、一日になんと平均30件も発生していた。これが実はピークだった。

さすがに大阪府警はこの不名誉な数字を問題視。マスコミや議会で問題として槍玉にあがった。そこで大阪府警は、ひったくり事件に対して、自転車のカゴに、ひったくりが簡単にできない様に、蓋をつけたビニール製の「ひったくり防止カバー」を無料で配布した。また、防犯カメラの設置を推進、ビラやチラシを配り、町の防犯教室などでも積極的に啓蒙と注意喚起を行った。

ひったくりの犯行は、未成年者も多いことから、補導の強化や学校への指導も行った。

するとその結果が現れ、２０１７年の大阪府のひったくり件数は、１９８９年以降で最少となったのだ。結果は努力についてくる。

2019年、9年ぶりに大阪府は、ひったくり・路上強盗の犯罪認知件数・全国ワーストを脱したことをお伝えしておく。ピークの時よりなんと1万件以上減少した。この数はなかなか凄い。やれば出来るのだ。

ただ、ひったくりから、より巧妙で悪質な特殊詐欺が急増していることも気になる。特殊詐欺とは、オレオレ詐欺や架空料金請求詐欺、還付金詐欺などに代表される犯人が被害者を信じこませ現金やキャッシュカードを騙し取る犯罪。組織ぐるみの犯行や暴力団が背後にあるなど巧妙な手口や顔の見えない犯罪行為が多く、捕まりにくい。被害も高額にのぼるケースが多い。

ひったくりなどの手軽な犯罪から、ネットや携帯を駆使し、犯罪者が直接手をくださず、銀行口座を被害者に操作させたり、受け子というアルバイトを使ったりといった、難しい犯罪へ移行。時代の流れは、こんなところにも影響をしているのかもしれない。

ひったくりの減少に反比例する形で、大阪府では、特殊詐欺が増加している。2011年の329件から次第に増加。

2019年には、1807件にのぼった。

検挙率は40%と芳しく無いのも気になる。ひとつの犯罪が消えると次が生まれる。このあたりも注視が必要だ。

生活保護受給率が全国１位

大阪のもうひとつの不名誉な記録がある。

生活保護受給率全国１位の大阪市という現状だ。２００８年のリーマンショックの頃から増加を続け、大阪市では２０１２年には、生活保護費は２９７０億円。予算に占める生活保護費の割合は17・８％になった。

また２０１１年の生活保護の被保護世帯数は11万７３７４世帯、人数は15万１６４８人に達した。

これは、保護率56・８％で全国平均のおよそ３・５倍という高い数字だ。

この数字をみただけで大阪市の特殊な状況が理解できると思う。

人口の高齢化や都市への集中、さらには格差と貧困があるのは理解できるが、大阪への集中は異常だ。大阪市の事情としては、日雇い労働者の多さと高齢者の増加がある。合わせて低所得者の多さと離婚率の高さも指摘される。

また、大阪市内の各区での格差も大きい。日雇い労働者が多く集まる、あいりん地区を抱える西成区は、大阪市の健康福祉局「健康福祉統計集」（平成23年）によると、生活保護率は実に234・1％に達している。

いちばん低い福島区は13・6％しかない。西成区の生活保護率は全国平均16・2％の実に14・5倍だ。大阪市の経済の落ち込みが大きな影を落としたことも否めないが、片道切符で大阪に貧困者が流入したという状況も指摘できる。

大阪市市政（2012年）によれば、大阪は繊維産業や中小企業が多く、雇用の多い、製造業の比率は全国比率の2分の1。

逆に小売・卸売業の比率は、全国比に比べ2倍になる。合わせて大阪府や大阪市の離婚率は全国平均を上回り、高い水準で推移している。

高齢化についても気になる数字がある。

大阪市の高齢化の特徴は、一般世帯に占める高齢者単身世帯の割合が、約15％に達している。全国的に見ても大都市の中で一番大きい。高齢者は肉体的な衰えから就労が難しく、また年金額も少ない人、あるいは無年金の人もあり、貧困に陥る。そういう傾向は大阪府全域で起きている。ある意味で日本の先端がここにあると言っても過言では無い。どの地域も「明日は大阪」と考えるべきだと私は思う。

２０１６年の暮れ、私は部下のディレクターと一緒に西成区の取材をした。

月の初めに西成区役所を訪れると生活保護の支給日には、朝から行列が出来ていた。現金を手に入れようと殺気立った雰囲気が漂っていた。

ひとりの60代の男性に密着取材した。

職はなくひとり暮らし。出身は長野。身寄りは無く、大阪の西成区なら仕事があると言われ関西に来て、５年になる。建築現場で捻挫をして、それから体調が悪くなった。仕事は体調の良い時だけ日雇いに行くそうだが、最近は仕事にいけず生活保護を受けている。宿は簡易宿泊所で１カ月４０００円。３畳１間。

生活保護10万円に満たないという。

この日、お金は手渡しで支給された。

高利で金を貸す貧困ビジネスや犯罪もあると語る。ヤミ金や貧困ビジネス業者が彼らを標的とする。生活保護からの生活の立て直しは、この地域では相当難しいのではと取材をしていて感じたのだった。

この頃、西成区の区民約12万人の４人に１人が、生活保護を受けていた。生活保護Ｇメンの密着取材もした。

収入が得られない高齢者や貧困層の一方で、不正受給者も増加していた。バックにはまたしても暴力団の影があった。暴力団がヤミ金で借金の返済の滞った人を、故意に生活保護受給へ促す。そのお金をピンハネし、その上、夜の街や別の仕事を紹介し働かせ、その上前もハネる。被害者は悪いこととは知りながら、不正受給を続けてしまう。

ケースワーカーが家庭訪問しても不在が目立つ。

Gメンが尾行をすると複数の場所に立ち寄り、スナックの客引きや別な仕事をして収入を得ていた。巧妙な手口で生活保護をかすめとる輩。

本当に必要な人に渡すべき、生活保護。

不届きものに大阪も目を光らせる。

大阪市では警察や弁護士の連携で元警察出身者や元ケースワーカーを含む、特別な不正受給調査専任チームを全区に配置し、不正受給対策に取り組む。

偽装離婚や未申告の就労先のあるもの。最後のセーフティーネットを決して無駄に使ってはならない。

5 タレント＋天下り知事の無為無策

人気は高かった横山ノック知事

大阪の地盤沈下をここまで説明してきたが、政治と行政の罪も重い。元々大阪は八方塞がりでは無かった。関西の東京への対抗意識にも最初は違和感を感じたが、住んでいるうちに分かったのは、「東京には負けへん」という意味は、ただ単に次男坊的な長男に対する負けん気というより、大阪の人たちの強い自立意識の表れだった気がする。

太閤秀吉の時代から、大阪は徳川時代のお上に対して、常に商人が先頭をきり、独自の文化と繁栄を誇ってきた。

先進的なシステムや経済上の合理的なシステムを作り上げ、日本の礎として東京とは違ったエンジンとして、日本を牽引してきた。

大阪に住むとそのことが良くわかる。大阪の東京への憧れと嫉妬は、裏返せば大阪人の自尊心と独自性の強さでもある。おおらかで自由。大阪はシビアで他人に厳しいと東京や地方の人は、おもいがちだが、お節介で優しく、こんななひとなつっこい人たちが沢山住む地域はないと私は思う。

強くたくましく、旺盛な好奇心。本音の文化が心地よい。

「商は笑なり」とか「商は飽きない」なんていう私の大好きな言葉もある。「まいど」「どないでっか。ぼちぼちでんなー」という大阪あきんど言葉もだいぶ聞かなくなってきたが、それでも大阪の人たちの心の奥には「笑かしたろ」「おもろいことして楽しんでもらおう」というサービス精神と工夫の心、おもてなしの心の火は消えてはいない。

笑いが商売、経済の潤滑油という土地柄がとても心地よい。


そんな大阪だから、どうも政事《まつりごと》に対して浪速っ子は、うといところがあるのかもしれない。そんな事情が政治の空白と放漫を呼んでしまったのだろうか。


まずは、横山ノック氏を取り上げない訳にはいかない。

1932年北海道旭川市生まれ、兵庫県神戸市生田区で育つ。本名は山田勇。2007年に75歳でこの世を去った。愛称はピッカリくんやタコ坊主、ノック師匠。禿げた頭と憎めない表情、そして、天衣無縫なボケで人気を博した芸人であった。

そして大阪府の第48代、49代知事として君臨。参院議員としても4回の当選を誇った。上岡龍太郎（パンチ）、轟盛次（フック・のちに青芝フックと交代）とともに、漫画トリオを結成。レッツゴー三匹と人気を二分する。

「パンパカパーン、今週のハイライト」のキャチフレーズを売りにして、ニュースや時事ネタを風刺し、庶民の自虐や政治や国会の矛盾を、ネタにして笑いを取った。

１９６８年に人気だった漫画トリオを解散し、横山ノックは、参議院全国区に無所属で出馬し当選する。

その後タレントやテレビ出演を継続しながら国会議員として活躍。１９９５年には、参院議員を辞職し、大阪府知事選に立候補した。

そして見事に無党派で当選を果たす。

彼の公約は、大阪府の赤字解消を旗印とした。大阪の庶民が後押しした知事の誕生だった。

しかし、明るい笑顔は徐々に曇り始める。府議会はオール野党。政策は前に進まず、議会はヤジと反対で紛糾する。組合も力を振るい、知事に抵抗する。マスコミはそれ見たことか、タレント知事風情が何も出来るわけがないと批判する。気の毒なくらい苦戦を強いられた。

それでも、横山知事は、不良債権が大幅に膨らみ問題になっていた木津信用組合に対して業務停止命令を発したり、行政改革に取り組む姿勢をみせた。知名度抜群、愛されるキャラから府民からは「ノック知事」と呼ばれ、メディアの露出も格段に多かった。

1999年の2期目の選挙では、自民党を含めて有力な対立候補を立てられず、235万票という府知事選挙新記録の得票を獲得し、横山ノックは再選したのだった。

この選挙期間中にある出来事が起こる。

横山ノックの選挙活動時の運動員をしていた女子大学生に、強制わいせつとセクハラ行為で民事訴訟を起こされる。横山知事は事実無根と完全否定。女子大学生を虚偽告訴容疑で逆告訴。公務の時間を奪われたく無いと裁判後、答弁回避。その事が火に油を注ぐように辞職を求めるデモを勢いづかせ批判が高まっていく。

結局、1999年12月、大阪地方裁判所はわいせつ行為を認定し、横山ノックに1100万円の支払いを命じる判決を言い渡した。その後、民事とは別に、大阪地検特捜部が強制わいせつ罪で在宅起訴。知事を辞職する。

横山ノックは翌年の2000年8月、強制わいせつ罪で懲役1年6カ月、執行猶予3年の有罪判決を受けた。横山ノックは、控訴をせず判決が確定したのだった。芸能界からは追放状態となり、芸能活動もほとんど無く、7年後の２００７年5月、中咽頭がんのため死去。75歳だった。

私は横山ノック氏とは、読売テレビの『2時のワイドショー』やお笑い特番やイベントで何度か仕事をした。

気さくで偉ぶらない腰の低いタレントだった。いい加減な感じという印象や、突っ込まれやすいタイプと感じてしまう風貌とは違って、生真面目な人で、台本も細かくチェックして、ディレクターやプロデューサーとネタの打ち合わせは入念だった。

笑いを取るために「こうしたらオモロイで」と色々と提案する姿が印象的だった。また国政への批判や政治の解説も鋭く、楽屋で小渕総理の手腕についてかなり突っ込んだ話を聞いたことがある。

関西テレビの人気番組だった『ノックは無用！』で相方の上岡龍太郎さんによく突っ込まれていたが、案外、政治センスはあったのかもしれない。しかし。晩節を汚す許されざる行為で、人生の全てを失ってしまったのだった。

横山ノック氏の大阪府知事としての手腕は、最後が酷かったので、今ではほとんど評価されていないが、オール野党の議会や政治的な抗争の中、孤軍奮闘、行政改革は行う姿勢を示していた。

ただ、その改革実行に論理的な裏付けが乏しかったり、味方が少なかった。もう少し横山ノック氏が、論理的な基盤や政治的な後援組織を持ち、政治改革を断行していたならば、どうだったのだろうか。

政治家らは勢力拡大と相手を陥れることに終始した。市民や行政の停滞をちゃんと見ていたなら、この後の大阪の低迷と危機は、なかったかもしれないし、傷は浅かったかもしれない。

府議会、市議会、そして、公務員たちの意識と仕事にも、当時問題があったと思う。天下りが横行し、権力を握るために様々な工作が、闇で行われていたことも、当時の取材記者の先輩たちから聞かされた。

無駄な公共事業、談合、利益還元誘導。政治家のメンツ。黒い闇が、明るい大阪を飲み込もうとしていた。実はそれは、日本中でおこっていた縮図だったのかもしれない。

横山ノック氏の憎めない笑顔と垂れた太い眉毛、テカテカひかるハゲ頭の汗をタオルで拭き拭き、観客の笑いをとる姿が、記憶に残るのは、私だけでは無いと思う。

自民党内部で不満や遺恨が残った知事選挙

横山ノック知事がセクハラ事件で突然辞任。これにともない、大阪府知事選も前代未聞の選挙で大波乱となった。

前知事の不祥事で当初から女性候補をという声もあがった。堺屋太一経済企画庁長官や民主党の岩國哲人衆院議員、自民党の中山正暉建設大臣、など次々と大物の名前も出るが決まらない。

国政は自自公連立（自民・自由・公明）の時代。

候補者選びに異例の関西経済連合会も動き、合わせて中央の自民党と公明党の党本部が動き、ひとりの女性候補をまつりあげた。

それが元通産省審議官の太田房江氏であった。自民党大阪府連会長の中馬弘毅氏は自民党本部の野中広務幹事長代理から電話があり、太田の名前を聞く。公明党の北側一雄大阪府本部代表も同じだった。

民主党はなぜか太田氏の立候補に賛成し、推薦に回るという迷走ぶり。地元大阪の自民党はメンツが無いと、中馬府連会長自身が出馬に前向きになったり、はたまた塩川正十郎前衆院議員を担ぎ出そうとしたりと、何が何でも独自候補を立てようと躍起になる。

結局、自民党の大阪府連は清風学園専務理事の平岡龍人氏を担ぎ、同じく自民党本部が太田房江氏を出馬させるという自民党の分裂選挙となる。

共産党は関西大学名誉教授の鰺坂真氏が候補に立った。この主要候補3人の戦いとなった。選挙の結果は、全国初の女性知事の誕生となった、太田房江の勝利で幕をおろした。時に太田房江大阪府知事は48歳だった。

しかし、当選の裏は、なかなか複雑だった。

当時は国会空転の打開を目指す、自民党幹部の思惑や解散総選挙をにらんだ小渕内閣の状況など、大阪府知事選挙は、まさに政争の場として利用された状況だった。

地元の大阪府連の意向を無視し、頭ごなしに降ってきた候補者の太田房江。当然、自民党の内部でも不満や遺恨が残る。中央官僚の天下りも気に食わない。太田房江を担いだ自民党の本流チームが、「大阪のおばちゃん」のイメージづくりに躍起となったのも無理は無い。

こうして太田知事は各党の微妙なバランスと、自民党内の微妙な軋轢、そして国政の傀儡的な要素を含みながら船出することになったのだ。

この大阪の保守分裂には前段がある。横山ノックが初当選した時（1995年4月投開票）

に自民党は、社会党、新党さきがけとともに（のちに公明党も推薦）、中央官僚OB・前科学技術庁事務次官の平野拓也氏を擁立した。

現職の中川和雄・大阪府知事がヤミ献金疑惑で追及され不出馬宣言したことに端を発していた。しかし、政党の支援を受けなかった横山ノック候補が無党派層の圧倒的な支持で約160万票を獲得。次点の平野候補との差は40万票に達した。

このことがトラウマとなり、1999年4月の大阪府知事選挙には、横山ノックの圧倒的強さに最初から匙を投げ、対抗馬を立てることができなかったのだ。

当然、横山ノック氏が約235万票を獲得し当選。次点だったのは、92万票の共産党の応援した鯵坂真だった。ちなみに太田房江氏は、初当選の第15回大阪府知事選挙で約138万票を獲得しているが、横山ノック氏の得票には到底及ばなかった。

自民党の大阪府連が危惧したのは、5年前の天下り官僚の大敗という悪夢を懸念してのことだったのだ。辛くも女性候補だった事と横山ノック選択の大失態への反省という要因から、有権者は「安定」という選択肢を選んだのだった。

調整ばかりで改革できなかった太田知事

この頃の大阪府の財政状況はというと、すでに全国最悪レベルに陥っていた。大阪の府債残高は約3兆8000億円を超えていた。また1999年度（平成11年）の当初予算案における財源不足額は562億円に上っていた。この危機的な借金状態に、減債基金から1138億円を一般会計に借り入れるなどの非常手段をとって、なんとか予算編成を行っていた。

横山ノック知事時代に策定された「財政再建プラン」は税収の落ち込みで、この時点でさらに悪化していた。

太田房江の知事就任時には、財源不足は更に700億円も拡大していたのだ。

2000年2月7日付けの産経新聞は、

「プログラム策定当時の横山前知事の口ぐせは『僕は、だれにでもモノ申せる立場。僕を上手に使ってや』。1月28日夜、太田氏応援のために大阪を訪れた、自民党の野中広務幹事長代理が『私は横山前知事の財政再建にかける姿は尊いと思った』と評価したほどだ」と伝えている。

横山ノック知事がオール野党の議会の中で悪戦苦闘し、なんとか作った「財政再建プログラム」も焼け石に水。更に状況は厳しくなっていたのである。

この日の産経新聞の指摘は更に続く。

「『オール野党』で最も基盤が弱いはずの知事（横山ノック）が、しがらみのなさゆえに、財政再建のために強い力を発揮することができた。政党政治への〝最大の皮肉〟とも取れる状況は、政党に支えられた知事の誕生で大きく変わろうとしている。『大阪を変えるには強いリーダーシップをもった知事が必要』。選挙期間中、太田氏は何度も言った」

と、まさにこの後の不安定な未来を暗示するかのような記事だ。

当選した半年後に私は、私の政治取材の師である、政治学者の福岡政行氏（当時・白鴎大学教授）とニュースキャスターとして読売テレビの番組で活躍していた辛坊治郎氏とともに、太田知事と非公式に会談をした経験がある。ビールを美味しそうに煽りながら、太田知事は岡山県での2年間の副知事経験を披露。大阪同様に深刻な財政状態だった事や、自らが県の無駄を減らして、財政再建を行なった事を語った。

「経験もあるし、なんとかする」と太田知事は終始機嫌が良かった。

しかし、福岡教授と辛坊氏が「大阪府の景気対策の弱さを是正するべき」と強く主張し、

「不況の中で、行政は自らもっと身を切る改革をするべき。そうでなければ府民は納得しない。大胆にあなた自身が変わるべきだ」と語気を強めたあたりから、場の雰囲気が変わった。太田知事は応援した各政党や、複雑な議会の対立構造を説明し始めた。

「あなた自身が変えようと思わないとダメだ。これではノックさんの時より、辛い状況になるのは間違いないと思う」

福岡教授と辛坊氏の指摘は厳しかった。結局、答えは出ず解散となり、福岡先生と辛坊さんと不安な気持ちを落ち着かせようと皆んなで飲み直したことを思い出す。

太田知事の改革のブレーキとなったのは、「調整」という「関西の自立」には程遠い選択だった。

関西を代表する企業の経営危機が続出

その後、関西経済の地盤沈下は益々加速していった。中小企業の多い大阪は不況の影をもろにかぶっていく。太田知事の行政経験では乗り越えられない荒波が、大阪をこのあと襲う。街は確実に暗くなっていった。

太田知事の姿勢に対しては、予想通り役人と同じ視点が鼻についていく。大胆な発想や政治決断が少なく独自色も次第になくなり、大阪府の役人の中に太田知事は、溶けていった。

百貨店の老舗・そごう大阪店が閉店。プランタンなんばも閉店。市内中心部の大型店舗が次々と店を閉めていった。華やかだった御堂筋も「倒産ストリート」と陰口をたたかれる始末。この頃の大阪では、行政と東京の悪口ばかりが聞こえた。

関西発のそごう、ダイエー、マイカルが次々と借入金を増やし経営危機に陥っていく。中小の企業倒産も日常茶飯事。あまりの倒産数に慣れてしまい誰も驚かない。

「大阪の活力を取り戻すのには、経済再生が第一」と当選直後の議会で演説をした太田知事であったが、太田知事は２００８年、２期８年で任期満了を迎えた。

太田知事は関西国際空港の第２滑走路オープンや企業誘致にはある程度成功した。大阪湾沿岸部に次々と大企業の工場や研究施設を誘致した。

しかし、大阪オリンピックの誘致失敗や財政再建の中途半端さなど、大胆なリーダーシップを発揮することはなかった。

ただ、関西経済連合会や関西財界は、府政改革に対して確実に公約をこなしたと太田知事を評価。かなりの実績をあげたとエールを送った。企業誘致に尽力した点を評価しての事だと思う。

太閤秀吉のお膝元、大阪城天守閣のそびえる大阪城公園には、ホームレスの青いビニールテントが広がり、地下鉄はあちこちの駅で雨漏りがしている始末。御堂筋も暗く寂しい。夜間は、女性が1人で歩くのは怖いと敬遠される。

町のいたるところに、スプレーで妙な文字や記号が描かれている。公共施設のトイレや水道は汚く不衛生。ひったくりや、違法滞在の外国人が危険ドラッグを繁華街で売っている。

職を失った若者がコンビニの駐車場でたむろする。

京橋や鶴橋といった繁華街では、朝から労働者が酒をあおる。喧嘩や暴力行為、ひったくりが後をたたない。

大阪の凋落は、とどまるところを知らなかった。大阪府民自身が「しゃーないなー」と諦めの表情で無気力に下を向いていた時代。長く終わりのまったく見えないトンネルを走っている不安さ。そんな状態だった。

2007年12月、翌年あけてすぐの1月に知事選が近づいていた。当初は太田房江知事の3選も噂された。

しかし、太田知事の政治団体「太田房江を支える東京の会」が2004年8月から2007年8月まで、太田知事の母親宅や甥の自宅を事務所の所在地に申請し、そこには約2233万円の事務所費がかかったとして不正に計上していたのではないかという問題が浮上。

また、中小企業経営者らの任意団体の会合に2003年4月から2007年9月まで、11回出席。880万円の講師謝礼金を受け取っていた問題も発覚した。

一連の疑惑に最大の支持団体だった連合大阪は太田知事の再選不支持を決め、推薦した自民・民主・公明も危ない船から逃げるように太田知事の退陣を支持。府議会と府民の反発も膨らんでいった。太田知事はあまりの批判の声の大きさとマスコミの連日の報道に力を失い、3選出馬を断念したのだった。

そして、誰も想像しなかった人物が、大阪府知事選挙に名乗りを上げた。その男は「2万パーセント出馬はあり得ない」とマスコミのインタビューに答え、出馬を完全否定していた。

が、その言葉を翻し、敢えて、火中の栗を拾う行動に出たのだった。

その男とは橋下徹。38歳。テレビで活躍する弁護士だった。異例の選挙を勝ち、大阪府の借金5兆円に挑んだのだった。

いよいよ、大阪に改革の嵐が巻き起こる。その嵐は、大阪の暗闇や垢すらも一緒に吹き飛ばす力を持つ、猛烈な嵐だった。大改革という血のにじむ嵐。

その中身については、次の章にゆずりたい。

第2章

「大阪オリジナル」の逆襲
——東京とは異なる価値観で勝負する

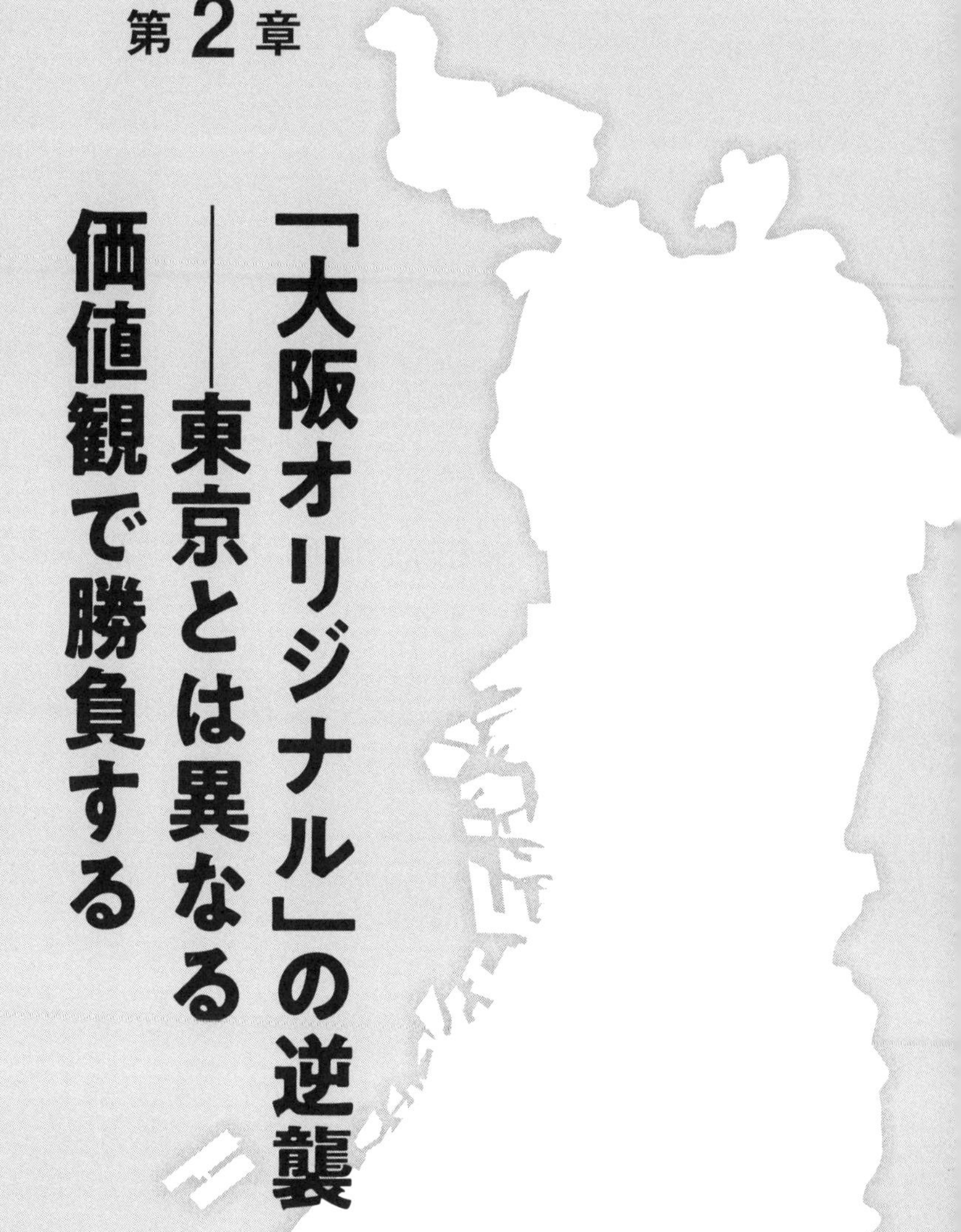

1 「大阪維新の会」の誕生前夜

斜に構えた大阪人らしい弁護士・橋下徹氏

2007年12月12日。橋下徹氏が、大阪府知事に出馬することを正式に表明した。

橋下氏と私は、テレビ番組で顔見知りであり、所属タレント事務所のタイタンとも親しくしていた。

当時、まだ読売テレビの社員だった、ニュースキャスターの辛坊治郎氏と歌手のやしきたかじん氏が司会を務めた、関西の人気討論番組『たかじんのそこまで言って委員会』（読売テレビ）に、橋下氏はレギュラー出演していた。

橋下氏は、笑いを含んだ本音討論でスタジオを沸かせていた。橋下氏はその他、日本テレビの『行列のできる法律相談所』にもレギュラー出演、人気を博していた。

舌鋒鋭い批判、明るい性格と弁護士としての知識の裏付けが、彼の人気の秘密だった。

茶髪に薄茶色のサングラスをかけ、ノーネクタイ。弁護士らしからぬファッションで若い世代の意見も代弁した。芸能人やバラエティー番組をかなり意識した、出演スタイルだった。

しかし、橋下氏の発言は斜め目線でちょっと過激だが、本質をついたものが多かった。「斜に構えた大阪人らしい出演者」という印象だった。

辛坊治郎氏は「橋下さんの目線は面白い。反射神経が良くて頭の回転も抜群にいい。どこか憎めないし、人と違う考えを口にする。そこがいい」と評し、彼に一目置いていた。

その人気テレビ出演者が大阪府知事に立候補。よもやトップ当選を果たすとは、この頃誰も夢にも思っていなかった。

東京の記者仲間から頻繁に電話がきた。この頃、ちょうど太田房江知事の事務所経費をめぐる疑惑報道が続いていた。

「次は誰が大阪府知事選挙にでるのか。流石にタレント候補頼みの時代ではないだろう。太田知事は、もうもたない」。東京の記者らの見方は厳しかった。

少し時計の針を巻き戻す。

2007年の9月。府議会代表質問。最大会派自民党の松井一郎府議が太田房江知事を問いただした。

「改革というが知事は府民にだけ負担を強いている。改めるべきではないか」と切り出した。太田知事や府職員の待遇に対して、府民の目線でもっと積極的に身を切るべきと松井議員は思っていた。根底には「知事は党中央が決めた落下傘の人。大阪人の不満がわかっていない」という気持ちが拭えなかった。

その頃、松井氏と同じ気持ちを心に抱いていたキーマンがもうひとりいた。浅田均氏だ。浅田均氏は現在、参議院議員で日本維新の会政調会長。この浅田氏と松井氏が、その後の地域政党・大阪維新の会の立ち上げと、橋下府政・市政に大きく関わることになる。

江本孟紀氏を支援する勝手連を設立

浅田均氏の経歴は興味深い。

1950年12月、大阪府大阪市城東区生まれ。京都大学文学部を卒業。米国スタンフォード大学大学院で学び、フランス・パリに本部を置く、OECD（経済協力開発機構）で日本政府代表部専門調査員として勤務する。

1999年、父の地盤を引き継ぐ形で、大阪府議に大阪市城東区から立候補し初当選。海外での経験や中央での知見を持つ異色の自民党府議だった。

２００3年10月府議会。一般質問にたった2期目52歳の浅田議員は、語気を強めた。

「民間企業なら社長再任は難しい経営実績だ。太田知事には、中央官僚にありがちな政治意識しか感じない。経営立て直しを請け負って乗り込んできたのに、赤字続きで借金も膨らんでいる。膨らんだこの赤字を知事はどう考えているのか」

身内である太田知事の姿勢を痛烈に批判したのだった。


大阪の政治の複雑な歴史と伏魔殿を理解するためには、どうしても「大阪府」と「大阪市」の両方を知っておかないと正確には理解できない。なぜ「府」と「市」をかけあわせて「ふしあわせ」と不仲が揶揄されてきたのか。財政再建がなぜ進まなかったのか。


大阪市助役だった関淳一氏が、２００3年に第17代大阪市長に就任した。彼は「大阪の父」と呼ばれ「大大阪」を過去に実現した、第7代大阪市長・関一の孫。大阪市立大学医学部卒。磯村隆文大阪市長のもとで助役を務めた。

その磯村市長も関氏と同じく、5年ほど助役を務め第16代市長になっている。

その前をみると、これまた、第15代市長の西尾正也氏も助役から、１９８7年に大阪市長になっている。大阪市では、ずっと助役の上がりのポストが「市長」だった。

身内が上がっていくだけ。これでは身を切る改革は当然しにくい。

磯村市長からバトンを引き継いだ関淳一大阪市長。就任当初は助役のポストに弁護士で、女性初の助役となる大平光代氏を起用し、話題を呼んだ。

しかし、当選翌年の2004年、市職員のカラ残業やヤミ年金、退職金不当積立など、大阪市職員が異例の厚遇を受けている問題が発覚する。連日マスコミは、このニュースを大きく報じた。「この街の役人は、府も市もやっぱりあかんわ」と大阪府民は呆れた。

大平助役は、それでも市政改革本部本部長代行として、市政改革を進めようとした。血の出る努力。既得権益を捨て、今までの常識を変える改革を行わねばならない。「なんでわたしらだけが損しないとダメなの。先輩や他のひとはやっているやないか」。職員の反発は大変なものだった。関市長や大平助役の机には、誹謗中傷の怪文書が置かれ、嫌がらせが続いた。

それでも一部の職員は大平助役や関市長の改革を支持し進めたが、2005年10月、大平助役辞任という残念な結果を招いてしまう。改革の先頭を走った、大平光代助役が市に戻ることは二度となかった。

「これでは大阪が沈没する」という危機感が広がっていく。なにしろ大阪はどんどん地盤沈下していって、経済もどん底。街の商店は潰れ、シャッター街に変わっていく。タクシーに乗るたびに「客がいない。不景気や」とぼやきしか聞こえない。おまけに選挙の投票率もあがらず、政治離れが進む。

そんな政治と行政に対する不満を背景に、浅田均議員は行動を起こす。

2004年2月、太田知事の2期目となる大阪府知事選において、野球解説者で参院議員の江本孟紀氏を担ぎ出し応援。支援の勝手連を設立した。

名称は「府政を中央官僚から取り戻す会」。支持基盤の無い江本氏を応援しようと、府議9人が設立参加。のちに大阪維新の会設立に動く中心メンバー、松井一郎氏、東徹氏、中野雅司氏らの名前もあった。

浅田氏らは、太田知事の批判を強く打ち出し、自民党府連の柳本卓治会長は、「府連と党本部が決めた方針に従って行動するのが党員の務めだ。説得作業を行う」と不快感を示し、浅田氏らの造反に困惑していた。

結局、江本氏は落選。太田知事が再選された。しかし、この時も自民党は一枚岩では無いということが明らかになっていった。自民党大阪府連の中の改革派と守旧派の激しい戦いがあった。

政治に対する市民の信頼はガタ落ちに

しかし、浅田氏は2007年4月の府議選を経て、自民党大阪府連の副幹事長の座につく。彼は、この時の府議選でも大阪の行政改革を訴え続けていた。

「違法な裏金を作って、役人が蓄える。しかし、大阪の財政は火の車。これでは、役人の役人による役人のための大阪ではないか。市民不在の行政だ。私たち議会がもっと強くなり、政策を大阪府に提案する能力を持たなければいけない。問題はそこにある」と拳を上げた。

そして、府議会議員自身の使う政務調査費が問題になる。

この年の6月、府議会議員らの政務調査費をめぐり、2年間で総額約3億4100万円にものぼる巨額の不適切な支出があったとして、大阪府の監査委員会が返還を求めて府議会を指弾したのだった。

制度の透明性と再三の指摘を先送りにしてきた議会の姿勢、説明責任が大きく問われた。

当時、東京都目黒区議会の不正支出の問題が報道され、議員らの不透明な政務調査費に対して、住民訴訟判決が各地で相次いでいた。

使い道が曖昧だったり、領収書がなかったり、議員の政務調査費は「使い放題の財布」と揶揄された。

これまで明確な使途基準が無く、報告も求めてこられなかったことに対するツケでもあった。本来は、議員が政策を立案するための活動として使うべき政務調査費。追及を切っ掛けとして、制度そのものの透明化が強く求められた。

浅田氏は、府議会の「政務調査費あり方協議会」の座長としてとりまとめを行った。議会の既得権益や不条理と対峙する中で浅田氏は「改革を進めないと自民党も議会も大阪もダメになる」という思いを強くしていった。


後に浅田氏を取材した時に「おかしな話や、臭いものには蓋的な説明がまかり通っていた」と説明。当時から議会に対して大きな疑問を抱いていた事は間違いない。

政務調査費の目的外使用をめぐる一連の問題では、すったもんだの挙句返還される事となる。具体的使途基準などをまとめた最終報告書をまとめ、府議会の政務調査費問題は一応の幕となったが、議会の優柔不断ぶりに対して、

「また議会がもめている。早く自分でけりをつけて欲しい。何が起こっているのか、議員

が何に反対しているのかわからない」

「大阪が沈没寸前なのに知事は何もしない。それを正すべき議員も不正な金まみれ。これではどうしようもない」

府民は冷ややかだった。政治や議員に対する市民の信頼はガタ落ちとなっていった。

そこに「これでもか」と太田知事の「政治とカネ」の問題が浮上したのだった。大阪府民が呆れ白けてしまったのは、当然といえば当然の結果だった。

2007年暮れ。議会も空中分解状態。一気に太田離れが加速し、続投の選択肢はほぼ皆無。各政党も変わり身が早いもので「沈む船にはいたくない」とでも言うように、太田不支持が進んでいく。

しかし、次の知事候補者が見当たらない。財政は赤信号どころかSOSの救難信号が出ている。こんな危機的状況をひきうけてくれる有力な人物はいない。誰一人、次の候補が思いつかなかった。「大阪はやばい」という印象を府民自らも強く感じていたが、どうしていいのか頭を抱えている。

私もマスコミの中で暗く深い池を眺める様に、途方に暮れていた。

２００７年、12月3日午前11時。真っ赤なスーツで大阪のリーダーが現れた。

大阪府庁の主は、珍しく笑顔で記者らに「出馬は不可能と判断しました」と切り出した。前日に決めたと説明し言葉を続けた。

「大阪の経済活力が少しずつ戻り、関西国際空港の二期工事も終わった。大阪の未来への礎が出来たと思う。大阪の再生を行い、次は成長を作っていくと私は言ってきた。私自身は失敗があったとは思っていない。しかし、知事選には出馬はしない。政治の世界は、一寸先は闇ということだ」と言葉を結んだ。

戦後初めての民間出身の大阪市長・平松邦夫氏

一方、その頃、大阪市長はというと、２００７年12月に、元毎日放送のアナウンサーで長く、大阪の夕方のニュース番組のメインキャスターを務めた平松邦夫氏が、民主党推薦で無所属立候補。

国民新党の推薦と社民党の支持を得て、高い知名度を生かして初当選を果たした。現職の関淳一市長を破り、大阪市長の座に。助役上がりではない、戦後初めての民間からの市長だった。

読売テレビの報道番組プロデューサーらが「また負けたか」と毎朝、前日の視聴率表をみながら、毎日放送の夕方のニュース番組に勝てない悔しさをぶつけていたことを思い出す。平松氏がメイン司会を担当していた、毎日放送のニュース番組『ＭＢＳナウ』。関西での同時間帯視聴率は、常にダントツトップ。

平松氏は、関西の夕方のニュースの顔。大阪のサラリーマンや主婦で知らない人は無いくらい存在感のあるキャスターだった。平松氏は、同番組に、１９７６年から94年までメインキャスターとして出演。その後、毎日放送ニューヨーク支局に転勤。赴任を終えて日本に帰国してからも数々の毎日放送のテレビやラジオ番組で司会やリポーターを担当してきた人気者だった。

私の先輩、辛坊治郎アナウンサーと読売テレビ報道スタッフは、この平松氏の夕方のお化け番組に果敢にアタックした。１９９０年春、読売テレビ『ニューススクランブル』という夕方の同時間帯の番組でメインキャスターを務めた。

番組開始の当初は大苦戦。毎日、視聴率最下位のポジションだった。

しかし辛坊氏やスタッフの努力と生中継を積極的に行うなど番組の機動力を背景に、同番組は、徐々に視聴率をあげていき、平松氏が『ＭＢＳナウ』のキャスターを降板するころには、読売テレビが夕方のニュース戦争に勝利。毎日放送が盤石という時代は終わりを告げる。

対して『ニューススクランブル』は2004年、辛坊治郎氏から2代目の坂泰知アナウンサーにバトンタッチ。その後は、読売テレビが視聴率トップをキープ。現在もその場を守っている。

当時、読売テレビ報道の番組スタッフは「打倒平松キャスター」「MBSナウに勝つ」を合言葉にし、番組の充実と独自スクープや取材、生中継に頑張っていた。私もリポーターやディレクターとして生中継やニュース現場にリポーターやディレクターとしてよく行った。番組の特集企画の取材や編集も担当した。

当時は平松キャスターの大阪弁を交えた鋭く優しいコメントや安定感がニュース番組のブランドを作っていて、視聴率で毎日放送にどうしても勝てなかった。番組作りの大変さや悔しい思いを経験した。そんなことからも、平松氏は私にとっても記憶に残る人物であった。

辛坊治郎氏の話が出たが、橋下徹氏の大阪府知事出馬に、彼はある意味で大きな関与をした。その話もこの後に述べることになるだろう。

いよいよ、大阪のその後の重要なキーパーソンとなる、橋下徹氏の話をしていきたい。

2 橋下徹氏、大阪府知事選に出馬の衝撃

堺屋太一氏から、直のメッセージ

「橋下徹氏が、大阪府知事選挙に出馬を決める」

衝撃的な見出しが新聞を飾った。

そのニュースが出る前に、何度かニュースの現場や新聞の見出しに、橋下氏の名前がちらちらと上がっていた。ただその時までは確信的なニュースではなく、「橋下が出馬したらおもろい」という、興味本位に立った記事がほとんどだった。

我々記者も市民も正直、「まさか橋下が番組の人気を捨てて、選挙に出るわけがない」と思っていた。

平松邦夫氏の大阪市長選出馬の時にも、「橋下が出るのでは」と噂が上がったことがあ

ったが出馬はなかった。本人による否定で、その噂は何度となく消えていった。

当時、橋下氏は、読売テレビの『たかじんのそこまで言って委員会』にレギュラー出演し、司会のやしきたかじん氏や論客パネリストと、大阪府政や行政改革、政治的な意見を舌鋒鋭く展開し、本人も政治に対しての興味もまんざらではないと見られていた。

ただ、私はテレビ局員の立場から、

「橋下氏は人気と力もあり、全国ネット番組にも出ていた状況から、人気レギュラー番組を全て捨てて、政治の世界に入ることは、わざわざ、火中の栗を拾うようなもので、あり得ない。そんなことは絶対ないだろう」と思っていたし、周囲にもそう解説していた。

橋下氏本人も、いくら出馬の誘いや政治に興味があったとしても、レギュラー番組やテレビ局に迷惑をかける訳にいかない、という思いが根底に強くあった。

その頃、「橋下をぜひ大阪府知事の椅子に座らせたい」と強く願っていた人物が複数いた。その人物たちが時代の流れを作っていく。

ひとりは、かつて通産省官僚時代に、1970年の大阪万博の下絵を描き、実施に自らも携わり、大成功に導き、また、その後、沖縄開発庁に出向し、1975年の沖縄海洋博も担当した、関西経済界の重鎮、堺屋太一氏その人だった。

後年、橋下氏はテレビ番組の中で、当時の真相を生々しく語っている。そしてそれは、私も橋下氏自身から直に聞いたので、間違いないエピソードだと思う。


元経済企画庁長官の堺屋太一氏から、ある日突然、橋下氏のもとに一本の電話がかかってきた。「一度会ってゆっくりと話がしたい」という内容だったという。橋下氏は、小説『団塊の世代』の作者で、関西だけでなく経済的にも沢山の影響を及ぼす堺屋氏からの直電に驚き、二つ返事で会合を承諾した。

かくして、堺屋氏と橋下氏のはじめての対談が行われた。


冒頭から堺屋氏は「いいかい橋下君、鎌倉時代を作った源氏の源頼朝は、源平合戦で弟の義経に指示を出して……」と歴史絵巻を語り始めた。

『豊臣秀長　ある補佐役の生涯』や『鬼と人と　～信長と光秀～』『秀吉　夢を超えた男』など歴史小説も数多く著している堺屋氏から、詳しい日本の歴史が語られていった。橋下氏は、堺屋氏の名調子に興味深く耳を傾け続けた。そしてやっと歴史の話は、現代までたどり着いた。

すると堺屋氏は、それまでの立板に水の口調から一転。噛みしめるように橋下氏に語りかけはじめた。

「歴史を見ればよくわかる。つまりは時代の転換点というものは、時代が人物を求めるものだ。今の大阪は君を求めているんだよ」

橋下氏は、頷くだけだった。

それだけ堺屋氏の言葉は重かった。堺屋氏に直々に出馬を口説かれたことは、事態の重大さと堺屋氏の真剣さを受け止めるには、あまりある状況だった。

橋下氏は慎重に言葉を選びながら「堺屋さんの気持ちは良く分かりました。ただ、出馬を決めたら、今出ているテレビの番組に迷惑がかかってしまいます。テレビには様々な形でお世話になっています。返事にはしばらく時間が欲しいです。このことはどうか、くれぐれも内密にして欲しいです」と言葉を返したのだった。

その2日後に、新聞に「橋下出馬」の見出しが躍る。橋下氏は、「正直腰が抜けそうになった」と述懐している。

そこで出た言葉が「2万パーセント出ない」という有名な言葉だった。

出馬を後押しした「3人のキーマン」

この時点では、橋下氏は、正直に「知事への出馬は無理だし、あり得ない話」と思っていた。それが出馬へ舵を切ることになぜなったのか。

そこには「3人のキーマン」の助言が大きく関与する。

「3人のキーマン」とは、橋下氏の出演するテレビ番組の芸能界の重鎮たちだった。

そしてその中のひとりは、私の身近にいたのだった。

まず1人目は、橋下氏が番組やプライベートでも親交のあった、歌手で司会者の故・やしきたかじん氏。「いま大阪は大変な状態。誰かが舵をとらないとダメになる。番組はボツになってもいいから、イチかバチか挑戦してみないか」と強く出馬を勧められる。

そして日本テレビのゴールデンタイムの人気番組『行列のできる法律相談所』で司会を務めていた島田紳助氏にも相談した。

島田氏には「橋下さんは、テレビ番組よりも大阪のことを考えるのが先やろ」と言われた。

最後に橋下氏が相談したのが、『たかじんのそこまで言って委員会』の司会を、やしきたかじん氏とともに務めていた辛坊治郎氏だった。

たまたま番組の収録時にメイク室で隣に座った橋下氏に、辛坊氏は切り出した。

「橋下さん、本当に知事選には出ないの？」

「嫌、番組があるし、もう収録が終わっている番組もある。僕が選挙に出るといったら大変なことになる。番組の方にも迷惑かかるし、損害賠償とか請求されたら大変な額になる。払えないですよ」

「橋下さん、番組よりも大阪の方が大事ですよ。テレビ局が損害賠償なんて請求するはずが無い。立候補の自由は守られている。いっぺんやってみなはれ」と辛坊氏は橋下氏の背中を押したのだった。さらに辛坊氏は言葉を続け、

「すでに収録が終わった番組は、テレビ局が全部ボツにすることはまずない。橋下さんの出演部分を編集でカットすることもできるはず。なんだったら生放送にすれば乗り切れる。テレビ局も対応は考えるはずですよ」

と、橋下氏にテレビ局の立場を助言したのだった。

この事は、私は辛坊氏から直接聞いた。「橋下さんは、真面目な男だ。テレビ番組の事を考えていた。でも周辺も説得しているし、出馬すると思う」。その言葉は直ぐに現実になる。

これも辛坊氏に直接聞いた事だが、辛坊氏には、実は浅田府議から何度か出馬の誘いが、これまでもあった。

２００４年の大阪府知事選挙に、自民党選対本部と府議団が押していた太田房江氏の対抗馬として、辛坊氏に出馬を打診した事があったそうだ。辛坊氏は「ほとんど冗談かと思った」と語っていたが、申し入れに対して丁重にお断りをした。

そして、実は橋下徹氏の出馬要請が表に出る前にも、再度、浅田氏から辛坊氏に「大阪府知事に出てみませんか」と話があったという。

その際、辛坊氏は浅田氏から、実は橋下氏の知事選への擁立の作業を進めていると打ち明けられ、「なるほど」と納得したという。水面下での橋下知事誕生前夜の動きを、私も身近で感じていたのだった。

橋下徹氏は、様々なアドバイスや自らの思いから出馬を決断。二万パーセント不出馬の言葉はあっさりと否定された。

２００８年１月。最年少知事の誕生

２００７年12月12日、橋下徹氏は大阪府知事選挙に正式に出馬を表明した。自民党府連推薦、公明党府本部が支持し激しい選挙戦となった。

そして、翌年の２００８年１月27日投開票。得票数１８３万２８５７票を獲得。トップ当選を果たし、橋下徹氏は第52代大阪府知事の椅子についたのだった。

年齢は38歳。当時、現職では最年少の知事だった。

投票率は48・95％。過去最低の前回40・49％を８・46ポイント上回り、府民の政治への関心意識は、橋下出馬効果で、白けムードから少し戻った。

政権は自民・公明対民主という図式となっていた。


橋下知事の誕生は、確かにインパクトがあった。大阪だけのニュースとしてではなく、全国ネットのワイドショーや報道番組もこぞって橋下知事誕生を伝えた。

しかし、大阪では「変わるのではないか」という橋下知事への期待の声と、同時に「どうせ一緒だろう」という諦めの声も当然多く渦巻いていた。

橋下知事は、当選直後から、テレビ出演を積極的に行い、積極的な改革と身を切る大阪府財政の健全化への取り組みを訴えた。弁護士でテレビ出演者出身の知事らしくマスメディアをうまく使う手法は、保守派や改革を望まない勢力からは「ポピュリズム」あるいは「劇場型政治」と揶揄された。

しかし、取材していた立場からいえば、それまでの諦めと無関心の政治状況よりは、よっぽど民主主義的で、議論出来る雰囲気が大阪に漂っていた。

橋下知事の仕事は、まず、約5兆円に上る府債残高と巨額の「赤字隠し」という、危機的な財政と対峙するところから始まった。当時の大阪府のダメっぷりは、沢山の社会的な指標でワースト1位か上位にランクインしていたことでわかる。その数字を改めて見てみよう。

2011年~13年の厚労省・厚生統計要覧・労働力調査・人口動態調査、警察庁・犯罪統計などによると、大阪府のランキングは以下となる。

ひったくり認知件数比率　全国ワースト1位
刑法犯認知件数比率　全国ワースト1位
児童虐待相談件数比率　全国ワースト1位
生活保護受給世帯数比率　全国ワースト1位
ホームレス数比率　全国ワースト1位
離婚率　全国ワースト2位

なんとも、暗澹たる気持ちになるランキングだ。また、1人あたりの所得も20年間で急落。全国平均を下回るありさま。企業の投資が減り、負のスパイラルは落下の一途。ホームレスの増加や犯罪の多発という社会問題が噴出し、生活保護や失業対策のセーフティーネットの拡充にあたった大阪。

税収はどんどん落ち、大企業と住民は、全国の他の地域同様に、大阪から首都・東京に吸い出されていった。

その大阪が再び元気を出す切っ掛けは、橋下改革にあったことは間違いない。橋下知事の改革のポイントをまとめておく。

財政破綻寸前。早期健全化団体を避けることが大目標。9年連続の赤字決算が続く大阪府。まず、橋下知事が大きく改革を示したのは「大阪府庁始まって以来の大激論」と評された改革。2008年4月、改革プロジェクトチーム（PT）の1100億円の財政再建案の提示だった。

この案には、知事選で橋本氏を支援した自民党、公明党も府民の負担が大きすぎると大反発。当時はまだ自民党府連の政調会長の役職にあった松井一郎氏も、小西禎一改革PT長に厳しすぎる案だと詰め寄る。

また、浅田均副幹事長も「歳入確保を優先し歳出削減に手をつけるべきだ。今の世代だけが過去のツケを払う形が本当に良いのだろうか」と疑問を呈していた。

教育・医療・福祉のすべての分野で大きく削減をともなう案だったからだ。橋下知事は「遠慮をするな」と檄を飛ばしながら、水面下では綿密に再建案を練っていった。

3 橋下改革と抵抗勢力の攻防

平松市長と橋下知事の対立

2008年6月8日付けの毎日新聞世論調査では、橋下知事の支持率は66%。財政再建案「大阪維新」プログラムの賛成は85%に達した。府民が本気の改革を支持していた。9年間で6500億円、2008年度は1100億円の収支改善目標が打ち出されたのだった。

大阪市長の平松邦夫氏は、最初は橋下知事を歓迎した。そこには橋下知事だけでなく、長く毎日放送のラジオで番組に一緒に出演し議論を交わした、歌手のやしきたかじん氏との交友と助言も影響していた。

橋下氏が知事に当選して間もない頃、やしきたかじん氏は、自身の自宅に橋下知事と平松市長を招き、「仲良くやってほしい。2人で大阪を変えていってくれ」と共闘を促した。そんな経緯があったことも大きかったし、2人ともテレビ出身という仲間意識も働いたのかもしれない。

橋下知事も平松市長も向いている方向は同じだと、2人とも良く相談し蜜月に見えた。しかし、それは長くは続かなかった。

平松氏の応援母体が民主党や労働組合系だったこともあるかもしれない。また、平松氏の中にジャーナリストとしての魂があり、橋下知事の考えに常に疑問を呈したことも関係しているのかもしれない。2人が同じ席で出演するテレビ番組やイベントも最初のうちは意見や考え方が一致することも多かったが、途中から対立場面が目立つ様になり、次第に2人の関係に暗雲が立ち込めていった。

2人の考えの違いが決定的になったのは、このPT案の身を切る改革の内容について。5月15日に橋下知事と平松市長の意見交換会が、大阪市役所で行われた。そこで激論となったのは、まず削減する計画の文化行政についてだった。

平松市長は「これまで大阪で守り育ててきた、文化や芸術を財政状況だけで切ってしまっていいのか。一度切ったら簡単には立て直せない。何年もかかってしまう。再考してほしい」と切り出した。これに対して橋下知事は、一歩も譲らず「府民が認めてお金を出してくれれば文化施設や団体は残る。最終的に残るものこそが文化だ」と反論した。

平松市長は顔を真っ赤にして「暴論だ」と橋下氏に言い放った。

御堂筋パレードの主催団体からの撤退や大阪センチュリー交響楽団の運営から外れること、その他、文化活動や支援を見直す案に平松市長は徹底的に抵抗した。また、高齢者などへの医療費助成の縮減にも、平松市長は低所得者層の負担増を懸念し反対の狼煙をあげた。

合わせて、還付手続き事務の増加と複雑さなどの問題点を指摘し、改革案に難色を示した。

議論はまったくの平行線。橋下氏からは生活に直結する事業見直しや削減、そしてセーフティーネットに関わる事業の削減や各事業費の経費カット、人件費削減が示されていった。

それは今まで例のない異例の大改革だった。

府議会での代表質問もガチンコ勝負。事前に答弁調整はまったく行われず、激しいものとなった。6月5日、事業費と人件費で合計665億円を削減すると発表された。中身は、府有財産の売却で435億円の歳入を確保する。また、185億円の財源不足については、府債の発行で補い、1100億円の財政再建を進めていくと説明したのだった。府議会は、削減幅の圧縮を求めたが、大阪府民は橋下知事の前例なき大改革の英断を支持した。

府議会の風は「改革の抵抗勢力と府民に見られたくない」と、次第に橋下改革へと傾いていく。まさに橋下知事の我慢の大改革がスタートした。

全国最低レベルまで切り込んだ、私学助成金や国際児童文学館廃止、そして大阪センチュリー交響楽団については10万人の存続署名が集まったのを受けて、楽団の存続の条件は補助金の減額と経営の改善を提示した。府の一般職員の基本給は10％カットなど、厳しい改革案が示されたのだった。

そして同時に、橋下知事は、「地方自治体は今やどこも、健全に運営できないシステムとなっている」、と指摘。国から地方へ税財源を移譲するしかないと国にも訴えた。

予算規模を前年度比10％削減に！

■橋下知事の財政再建案の骨子（2008年6月6日付け・朝日新聞より）

【人件費345億円削減】

●一般職基本給4～16％カット、退職手当5％カット

【事業費320億円削減】

●私学助成削減（経常費小中学校25％減、高校10％減、幼稚園5％減、授業料軽減は来年度から年収540万円以下に引き下げ）

●市町村施設整備資金貸付金（今年度休止、制度を再構築）

●医療費助成（来年度1割負担化や所得制限の引き下げ検討）

●槇尾川ダム（本体着工先送り）

【府有施設】

●青少年会館（廃止・売却）

●体育会館と臨海スポーツセンター（運営見直し）

●女性総合センター（青少年会館などと機能集約）
●上方演芸資料館（ほかの府有施設に移転）
●国際児童文学館（廃止・中央図書館に移転）

【出資法人】
●府文化振興財団（大阪センチュリー交響楽団、条件付き存続）
●府男女共同参画推進財団（自立化）

■財政再建1100億円の内訳（今年度）
◇歳出の削減　665億円
一般施策経費　245億円
建設事業
人件費
◇歳入の確保　435億円
退職手当債

府有財産の売却　そのほか

結局、7月23日、原案から削減幅をたったの18億円縮小しただけで、2008年度予算案は可決した。最後は府民の全面的な支援を背景に、橋下知事が議会をペースに巻き込み、自民・公明・民主の賛成を取り付けた。

府議会は、橋下案を否決出来なかった。メディアで全国に注目され、予算案を否決すれば改革の抵抗勢力とみられると強く危機感を抱いた。橋下改革案の大幅修正は難しい。橋下知事と対立していたのは、職員組合寄りの府議ら。実は橋下改革に共感する府議も多く、また、橋下知事との全面対決は避けたいという思いが流れていた。

予算規模は2兆9246億円。前年度比10％削減。こうして歳出削減に踏み込んだ、橋下超緊縮予算は走り出したのだった。


この時、私が橋下知事に注目したのは、徹底した情報公開だった。マスコミに対して非公開をほとんど行わず、全ての議論を公開した。府政運営のプロセスと役所内の議論が白日の元にさらされた。取材経験上もこれだけの公開は例が無い。

例えば、役所内の議論過程のほとんどが、記者やカメラに公開された。予算削減を迫られた各部署の職員が、橋下知事に説明を行う。すると橋下知事から「分かりにくい」「もっと丁寧に説明をして下さい」「資料がない」「予算の根拠はどこにあるのか提示してほしい」など、橋下知事から厳しい注文や質問が飛ぶ。答える職員の顔には、緊張感が常に漂う。

初めて、労組との団体交渉も公開した。ワイドショーやニュース番組でも報道されたので交渉シーンを覚えておられる方も多いと思う。

最終交渉は夜10時から翌日の朝10時まで徹夜で行われた。団体交渉後に労組には府民から約700件のメールが届き、その8割が労組への批判の声だったという。

その他にも、大阪府が財政赤字を少なく見せるために借金の返済額をわからない様にしていたいわゆる「赤字隠し」の問題も大阪府の隠蔽体質を背景としていた。

橋下知事の記者会見時にいつも感じたこと。それは、橋下知事は記者会見の時間をほとんど遮らず、記者の質問が続く限り、徹底的に質問に答える姿勢を常に取ったことだ。何度も同じ質問内容を繰り返す記者。橋下氏からネガティブな言葉や記者が最初から「答えありき」で準備してきた意図した答えを引き出そうと質問する意地悪な記者もいた。

そんな質問に、記者が分かってくれるまで言葉を変え、説明を続け、橋下知事は答え続けた。次の予定があっても、その姿勢は変えず、出来るだけ記者の質問に答える姿勢に、私は尊敬の念を抱いた。

ある時、私は橋下氏にどうしてあんなに時間を割き質問に答えるのか。情報を全てあからさまにして、隠さない様にしている理由は、どこにあるのかと聞いたことがある。

すると橋下氏は、

「まずいと思ったことほどオープンにする様にしています。記者さんは怪しいことは必ず突いてくる。それがマスコミの当然の仕事だから。隠し通せるものではないし、隠してはいけない。やばい時は謝る。素直に謝ったら、記者は流石に石を投げてこない。結城さんもそうでしょ。当たり前のことをやっているだけです」

当然という顔で答える橋下氏。

「みんな、それが簡単にできないんだよ」と私は答えた。橋下氏は、にやっと笑った。

大阪維新の会がついに船出

年が変わり２００９年４月、橋下知事を全面的に支援する若手府議６人が、自民党府議団を離脱して新会派を作った。

名前は「自民党・維新の会」。

代表は今井豊氏。そして呼びかけ人は松井一郎氏だった。橋下チルドレンが産声をあげた。その理由としたのは、橋下知事は意思決定過程を公開しているが、我々の議会は同じ過程をオープンに出来ていないからだとした。

橋下知事が全力をそそぎ推進した、府庁のWTC移転条例案の採決が無記名投票で行われ、否決したことに対しての、自民党府議団執行部への不満が切っ掛けだった。松井議員らは自民党内の移転賛成派のとりまとめに奔走し、いったんは自民党内の橋下氏支持の党議拘束を取り付けた。

しかし本会議では反対派が水面下で動き無記名投票となり、松井氏らの案に対して自民党内からは造反議員が続出してしまった。この「否決」の結果で、皮肉なことに橋下知事を支持する自民党やその他の府議が、その後増え続けた。

1年後の2010年4月1日、新会派「大阪維新の会」が旗揚げされる。集まった府議は22人。浅田均代表と松井一郎幹事長が会見を開き、「橋下知事の大きなパワーを我々が一緒になることでもっと倍増し、この大阪を変えていきたい」と語った。

そうして、橋下知事が唱えた、府庁舎移転と改革政策の全面的支持、府議会の定数大幅削減を目標に掲げたのだった。

大阪市の平松市長はこれに対して、

「大阪市議会の大阪維新の会への同調は広がっていない。府市再編の具体的な形はまったく見えない。府と市が一緒になれば全ての問題が解決するという考えは、私は理解できず、むしろおかしい」

と、橋下知事と新会派の動きを批判したのだった。

自民党の内部で話し合っても改革をやるのは難しい。府民目線でないと政治を動かせない。そんな思いが浅田氏と松井氏には強くあった。自民党籍を持ったままの活動は許さないと、自民党本部は猛反発。自民党府議らとの対立から、橋下知事を代表にした地域政党「大阪維新の会」がついに立ち上がったのだった。

その後、橋下知事は2011年11月、任期を3カ月ほど残して、大阪市長選挙に立候補。府知事には、松井一郎氏が立候補。40年ぶりとなる、大阪府知事・大阪市長のダブル選挙となった。

対する現役の平松氏も2選目を目指して立候補。民主・自民・公明・これに共産党が乗り、平松氏を押したのだった。

平松氏は52万票あまりを獲得したが、橋下氏は75万票を取り、大きく水をあける結果となった。

そして橋下氏が第19代大阪市長に当選したのだった。

知事経験者が政令指定都市の市長に就任したのは、史上初であった。2014年3月、出直し選挙を図り、2番手の候補に30万票あまりの差をつけ当選。

2015年5月には、大阪都構想の賛否を問う住民投票・大阪市特別区設置住民投票を行ったが、結果は否決。

2015年12月18日、大阪市長の任期を満了し、橋下徹氏は政界から引退した。しかし、その影響力は強く、また引き続きメディアでの露出も多く、発言の影響力は大きい。いまだに、国政への出馬や首長への復帰の話も絶えないのは、皆さんご存知の通り。

橋下氏本人は、今なお、政治復帰の話については、完全否定を続けている。しかし、舌鋒鋭いコメントや改革手腕への期待感、クリーンなイメージなど、橋下氏への期待と人気は根強い。

ワイドショーやニュース番組のコメンテーターで活躍。本業の弁護士としての仕事も精力的に行う。今は完全に政界から離れ、活動を続ける橋下氏。

しかし、政治理念と気持ちの通う、フリーになったニュースキャスターの辛坊治郎氏や吉村洋文大阪府知事、松井一郎大阪市長、浅田均参院議員・日本維新の会政調会長らの動き如何では、橋下氏の政界復帰も遠い未来では無い気がする。

その動きに注目していきたい。

橋下氏と辛坊氏の関係と魅力

私は、報道番組『ウェークアップ！ぷらす』に大阪府知事時代と大阪市長の頃の橋下氏に何度も番組出演してもらった。

その度に、フリップで分かりやすく政策を伝える作業や、放送当日に視聴者に出来るだけ分かる様に資料を持ち込み、「どうやったら理解してもらえるか」「視聴者に誤解なく伝えられるか」などを、打ち合わせさせてもらった。

その時に「反対論があるのは分かります」「私の説明不足です」ととても腰が低く、説明のために時間を惜しまないという、橋下氏の気概と丁寧な気持ちを感じた。

中には「橋下さんは遠慮なく相手を議論でやり込める」とか「議論のための議論。弁護士の嫌らしさが出ている」との印象論や誤った見方をするかたも多い。

しかし、本当に物事に対して諦めず立ち向かう姿勢を私は感じた。また、無理難題にも「ギブアップ」という言葉をほとんど使わない橋下氏のスタンスは弁護士らしい潔さだった。

確かに、橋下氏が説明や議論で使う言葉は刺激的で、番組のスタジオでもヒヤヒヤすることもあった。ちょっと度を超えていて、適切で無い時もあった。時として口が悪いというか、率直にものを言ってしまうところもある。それも彼の持ち味だから仕方がない。

正義感と平衡感覚をいつも失わない橋下氏のスタイル。

最後は素直。謙虚で猛勉強している姿も素晴らしいと思った。


特に、辛坊治郎キャスターとの丁々発止は、お互いが持てる知識と、問題点をぶつけながら一歩も引かないやりとり。そんな熱い議論に私はいつも頷いてきた。沢山の政治家を取材してきたが、橋下氏の様にスピード感を持ち、自分を捨てて物事の解決に立ち向かう政治家を私は知らない。

強いて言えば、小泉純一郎首相も慣習や権威にとらわれず大胆に自らの意思で動く政治家。近いタイプだったかもしれないが、法律をベースとした論理とディベート力は橋下氏が一枚上。それだけ橋下氏の有言実行のスタイルと突破力は、群を抜いていた。

また、複雑な物事も優しく分かりやすく解説する。テレビ出演で培った説明力の高さ。どんな無茶振りにも対応できる瞬発力。

ガラス張りで全てを公開していく政治スタイルは、カッコつけが大嫌いで、常に本音で実をとる事を好む、大阪人の心を鷲掴みにしたのだった。

ある時、橋下氏と懇談をした。その席で、私と辛坊氏は橋下氏に関西国際空港の活用案として、

「梅田と関空を結ぶリニアモーターカーを作ったら……。すでに上海空港から上海市まではリニアで結ばれている。先日、実際に上海に行った際に乗ってみたが、凄く早いし、観光客も多く人気だった。列車の中でデジタル表示の速度計が500キロに達すると拍手と写真撮影がはじまった。梅田と関空間は、今は電車で約1時間かかり不便。もしリニアが作られ時速500キロで結ばれたら、時間は10分から15分に短縮される。日本最初のリニア営業線は世界的にも話題になるし、関空は格段に便利になると思うが」

と話した。「それは素晴らしい案だ」と笑顔の橋下さん。

翌日の記者会見で橋下氏は、「昨日、辛坊さんと結城さんと話していて、リニアを梅田から関空へ繋ぐ案を聞いた。これはいいと思った」と前日の案をもう話しているではないか。「いいものはいい」と即取り入れる素早さ。ちゃっかり自分の案に取り入れてしまう、したたかさに驚いた。

そのリニア案を報じた新聞を翌朝、自分の番組でしっかり解説をする辛坊氏も辛坊氏ではあったのだが。そんな2人が可笑しく、親しみを覚えた出来事だった。

そして大阪は、確実に変化していった……。

4

景観が変わり、街が蘇る——御堂筋、中之島、大阪城公園

恋人の語らいが帰ってきた美しい御堂筋

久しぶりに大阪を訪れた方は、必ずこう感想を述べる。

「大阪の街が綺麗になった」

太田府政の頃、大阪のメインストリート御堂筋は暗く寂しかった。

あの人もこの人も　そぞろ歩く宵の街
どこへ行く二人づれ　御堂筋は恋の道
映画を見ましょうか　それともこのまま
道頓堀まで　歩きましょうか

（作詞・山上路夫　作曲・猪俣公章）

1976年に漫才コンビ海原千里・万里のシングルとしてリリースされた『大阪ラプソディー』。40万枚のセールスを記録したヒット曲。海原千里は、現在も大阪のテレビやラジオ番組で人気を博する上沼恵美子さん。彼女の歌う代表曲でもあり、今でも多くの人に親しまれる関西の名曲だ。歌の冒頭に出てくるのが「恋の道　御堂筋」。

御堂筋は、前章でも説明したが、大阪でもっとも有名なメインストリート。梅田から難波の南北約4キロの距離。道路の幅は6車線、43・6メートル。南行きの一方通行。川の町・大阪を象徴する様に、大江橋、淀屋橋、道頓堀橋の3つの橋が架かる（新橋は1964年に撤去）。

沿道には、阪神百貨店梅田店、大阪市庁舎、日本銀行大阪支店、日本生命本社ビル、大阪ガスビルディング、北御堂、南御堂、大丸心斎橋店といった、歴史的建造物やオフィスビルが立ち並ぶ。

一方通行の最後には、高島屋大阪店がそびえる。

一日の交通量は、瓦町のあたりだと、平日約5万台。景観に配慮して最高60メートルに規制された沿道は、規制緩和前の同じ高さに統一されたビル群が立ち並び、秋はイチョウ並木が美しい銀色に色づく。

この大阪の顔といえる御堂筋も、沿道の会社が次々と倒産したりビル移転をし、一時は暗く静かな通りとなっていた。夜は沿道を歩く人も少なく、乗客待ちのタクシーの列だけが続いていた。

特にリーマンショックの影響の大きかった2008年頃の御堂筋は、土地の需要が急激に冷え込み、オフィス街も火が消えたようだった。ビルには入居募集のポスターが目立ち、喫茶店や飲食店も次々と閉店。歩道にはタバコの吸い殻やゴミも目立ち、休日に散歩をする人々も少なくなっていく。

御堂筋から恋人たちの姿も失われていった。

そして、例年、大阪の秋を彩る催しとして、「大阪21世紀協会」が企画し、開催してきた、御堂筋の1年を通じていちばんの催し、御堂筋パレードも資金不足から中止となってしまう。

この御堂筋パレードは、堺屋太一氏が発案し、1983年の「大阪城築城400年まつり」とともにスタートした。

大阪の大手企業や大阪府内の各種団体、学生らが、協賛の大型山車（フロート）に乗り、御堂筋に繰り出しパレードを行い、音楽やダンス、パフォーマンスでイベントを盛り上げた。

私は1987年、88年、89年の御堂筋パレードの生中継を担当した経験がある。当時は、この大イベントの模様をテレビで伝えるために、在阪民放5局が、全局でリレー中継を行い、各局のアナウンサーや制作ディレクターらが、実況とキャラクター、番組演出力を競い合った。

私も先輩アナウンサーとともに、他局のアナウンサーに負けない様にと、叱咤激励を受け、毎回緊張しながら中継を担当したことを思い出す。

2006年には、約93団体1万人が参加。沿道には112万人の観客が詰めかけたのだった。そのイベントも橋下知事の打ち出した「財政再建プジェクト」で、大阪府の負担している約3億2000万円を打ち切った。

その結果、イベント開催の資金調達が苦しくなり、2007年が最後の御堂筋パレード開催となったのだった。

暗く寂しい道となっていく御堂筋を盛り上げるために、橋下氏が発案したのが、御堂筋のライトアップだった。

橋下氏は知事に立候補の時にも「御堂筋を歩行者天国にし、イルミネーションを行いた

ライトアップされた御堂筋

い」と何度か口にしてきた。
知事就任の1年目、2008年4月に、御堂筋を冬にイルミネーションで彩る構想をまとめ「光の道構想」をスタートした。
しかし、当時は改革PTに大幅な歳出削減を求めていた時期だった。「イルミネーションや景観にお金を使うのはどうなのか」と疑問の声もあがったのだった。「財政再建の中、反対せざるを得ないだろう」と、反対の声は市民や大阪府の幹部からも噴出。財政再建との折り合いに橋下知事は悩む。
反対の声を押し切る形でこの年12月、御堂筋を発光ダイオードLEDやライトアップで彩る実証実験が行われた。大阪市道修町でたった70メートルではあったが、街路樹のイチョウ22本に約10万個の発光ダイオードが灯された。

鮮やかな黄色やピンク。白灯がイチョウと御堂筋を照らした。その美しさは御堂筋の新たな魅力を見せてくれたのだった。相変わらず「無駄ではないか」と批判の声は強かったが、しかし、潮目が変わる。

御堂筋イルミネーションに三井住友銀行や京阪電車、岩谷産業、オムロンなど大手企業から続々と寄付が寄せられた。そこには大阪の街を明るく照らしたいという思いが込められていた。そのほかにも、芸能人の爆笑問題、フリーアナウンサーの宮根誠司氏、歌手の円広志氏らから続々と寄付が寄せられた。総事業費の約2億円のうち、1億6000万円の寄付が集まった。

そして、ついに2009年12月には、淀屋橋交差点から船場中央大通りの約1・2キロの距離。約350本のイチョウにLEDの美しい光が灯ったのだった。

その後も御堂筋の冬のイルミネーションは好評を博し、沿道の賑わいを創出し、単に人が通過する場所ではなく、カフェでお茶を飲み、語らい滞留する、行き交う、おしゃれな街が戻っていった。

橋下氏は市長の頃の2014年、淀屋橋から難波西口にいたる約3キロの区間で歩道を拡幅し、オープンカフェなどの出店を促す「シャンゼリゼ構想」を打ち出した。すでに、計画は実行に移され難波から難波西口の200メートルで自転車レーンも作られている。イチョウ並木に散歩をする人も戻り、恋人どうしの語らいも帰ってきた。美しい御堂筋。

2017年には完成80周年を迎えた御堂筋。高級ホテルが沿道に立ち並び、橋下氏が目指したパリのシャンゼリゼ通りと同様に、歩いて楽しむ空間への構想が花を開きつつある。

「桜の会・平成の通り抜けプロジェクト」

大阪の中之島も美しく変貌を遂げた。100周年を超えた大阪市中央公会堂と高層ビル街がコントラストを見せる。堂島川と土佐堀川にはさまれた中之島公園には3700株が植わるバラ園がある。美しい景観は「大阪みどりの百選」にも指定されている。

春には美しい桜が咲き、市民の憩いの場となっている。この桜を仕掛けたのは世界的建築家の安藤忠雄氏。

川の清掃を進め、同時に市民参加の植樹によって街づくりの意識を高め、美しい街づくり推進を行ってきた。

2004年から募金と桜の植樹をスタートし、2006年には寄付金総額は4億5000万円を突破。堂島川、土佐堀川、大川沿い、中之島には桜が春に満開になる。

安藤氏が音頭をとり2004年から10年間に、「桜の会・平成の通り抜けプロジェクト」

が実行され、大阪市内に約１８００本の桜と市外に約１２００本。合わせて３０００本の桜が植樹された。全国的に知られる造幣局の桜の通り抜けをしのぐ桜を目指したのだった。

植樹された木には寄付した個人の名前や団体名を記したプレートが取り付けられる。「僕の寄付した桜はどれかしらと、毎年来られる方もいる。小泉純一郎元首相にも植樹してもらった。寄付は30年間の桜の維持にも使われる。市民が力を合わせて街を作ることが大切だった」と、このプロジェクトの意味を安藤氏は説明してくれた。

実は、この桜の構想は、新たなバトンを繋ごうとしている。

２０２５年の大阪・関西万博開催に向けて、会場周辺に開催年にあやかり、２０２５本の桜を植えようというのだ。資金集めはクラウドファンデングを活用する。

「大阪は桜の都。万博の新たなレガシー（遺産）として桜を残したい」と安藤氏は意気込む。新型コロナウイルスの影響もあり、経費3億円への道はまだ遠いが、満開の桜で万博を迎えたいと気持ちは前向きだ。

中之島公園の中にある、子供のための図書館も安藤氏の発案。子供達が自由に本を持ち出し、読むスペースを作り出した。桜のプロジェクトはこの後、大阪をどう変えていくのか、楽しみだ。

ホームレスが消え、観光地になった大阪城公園

中央区にある大阪城天守閣を有する、大阪城公園も大きく様変わりしたスポットの1つ。

2000年の頃には、公園内にブルーシートのテントが散見され、当時はホームレスが公園の主人だった。その数はピーク時に600以上を数えた。

家族連れやカップルは近寄らず、大阪城公園は、行楽の場所としては不適切と敬遠されていた。

しかし、そんな状況から脱却するべく、2001年頃から、大阪市内の公園に野宿者向けの仮設一時避難所が設置される。大阪市は積極的に支援を展開し、ホームレス者に対して生活保護を受給し、野宿をしない生活を推奨した。

同時期に、ホームレス自立支援法も成立。大阪城公園、西成区の西成公園、東住吉区の長居公園からホームレスの姿は目に見える形で姿を消したのだった。

しかし、大阪城公園の整備は市の財政状況の悪化でままならなかった。2003年に地方自治法が改正され、指定管理者の基準が緩和された。これが改革の切っ掛けを生む。

これまでは、自治体が企業など管理者に委託料を支払い、管理を行ってきた。しかし、大阪城公園の場合は、逆。収益を上げた企業などの指定管理者が市に対して納付を増やすという珍しいシステムをとった民間企業の活力やマネジメントノウハウを活用し、ついで

大阪城公園を散策する高齢者

に大阪市も儲けようという考えだった。

２０１５年度、公募で選ばれた電通など６社が、指定管理者として「大阪城パークマネジメント共同事業体」（ＰＭＯ）を設立。観光バスの駐車スペースを倍増し、公園の整備も拡充した。

公園北東部、大阪城ホールとＪＲ大阪環状線の大阪城北詰駅を結ぶスペースに、約20店舗の飲食店などが入る複合施設「ジョー・テラス・オオサカ」を開業した。

ＰＭＯは指定管理者となり、３年間で大阪城公園に50億円を投じたが、利益は２０１５年度２億３０００万円、翌年16年度には３億９２００万円、17年度は４億９８００万円と右肩上がりに収益を伸ばしている。

ＰＭＯは大阪市に毎年固定納付金として２

億2600万円を収め、さらに収益の7％を払うことになっているが、インバウンドの増加や観光客のにぎわいを反映し、収益を上げてきた。園内の敷地も整備され、人も集まり、相乗効果を生み出す。

ジョギングをする市民ランナー向けのシャワー施設や、売店、レストランの売り上げもあり、大阪城公園は大きく変わった。

常に家族連れや海外からの観光客で賑わいを見せ、大阪城天守閣や周辺を使った歴史イベントやラーメンフェスタなどの各種のイベント。音楽イベントの企画で盛り上がりをみせてきた。

しかし、新型コロナウイルスの影響で現在は、足踏み状態。アフターコロナになればきっと盛り返すことは間違いない。民間の力を使い、それだけ十分に魅力的な観光地として現在は、大阪城公園は、施設の充実した整備された、ポテンシャルある複合公園となっているからだ。

5 なぜＵＳＪは人気を取り戻したのか

開業ブームが終わり、事実上の破綻に

ここに１冊の本がある。

当時、経営に翳りの出ていた大阪のテーマパーク・ＵＳＪ（ユニバーサル・スタジオ・ジャパン）の再生請負人として辣腕を振るった、元ＵＳＪ執行役員・森岡毅（現・株式会社刀　代表取締役ＣＥＯ）氏が書いた本『ＵＳＪのジェットコースターはなぜ後ろ向きに走ったか？』（角川書店）にはこう記されている。

私をよく知らない多くの方は、私が非凡なアイディアを次々とひらめく才能に満ちている人間だと期待されているようです。

しかし、私は元来クリエイティブな人間ではありません。少なくとも右脳人間ではないのです。自分ではそういう自覚があります。会社を転ばせないようにただ必死で「数字だ

らけの四角い頭」を捻りながら走ってきたというのが真相です。

人様に披瀝できるような発想法なんてずっと意識もしていませんでした。


この本の中で、森岡氏は徹底的なコスト意識とマーケティングを駆使して、発想力に頼るのではなく、必死でいくつも実現可能なアイディアを絞り、その中から厳選したイベントやアトラクションを確実にものにしてきたことが成功の要因だったと分析する。

謙虚で冷静な森岡さんらしい分析だと私は思う。

この本に巡り合ったのは、沖縄へ辛坊治郎氏と取材に向かう前だった。

森岡氏の番組への出演交渉とUSJの中継取材を考えていた私に対して、旧知のUSJの広報担当者から、

「辛坊さんに是非、森岡の初めての著作への推薦コメントをお願いできないかしら」と逆リクエストをいただいたのだった。

まだ本は出ていない。本になる前の段階の予定原稿のコピーを2部ほど担当者に渡された。

沖縄までの空港ロビー、飛行機の中と、私と辛坊氏はこの予定原稿を読み始めた。最初は2人とも適当に読み流していた。しかし、話が進むにつれて、次第に面白くなり、気が

ついたら夢中で読んでいた。隣の辛坊さんも一言も話さなかったから、同じ状態だったと思う。沖縄・那覇空港に着く頃には読み切ってしまっていた。

辛坊さんが「結城、この本は面白いな。番組づくりの発想とチームの再生法が書いてある。本が出たら買って番組スタッフに配ったら良い。番組チームの良い刺激になるだろう」と真面目に言う。

その後、森岡さんの本が出版された時、私はすぐに本を購入して番組スタッフ全員に課題図書として読むように指令したのは言うまでもない。

ＵＳＪは、大阪市此花区にある人気テーマパーク。ハリウッド映画の世界を体験できるアトラクションを売りに、２００１年3月31日にオープンした。

パークの設立当時は大阪市も出資していた。オープン初年度の来場者は、１１０２万９０００人に上り、開業からの来場者数世界中のどのテーマパークより早いペースで１０００万人に達成した。しかし、その後、年間の来場者数は約８００万人で推移し、森岡氏がＵＳＪに来る頃の２０１０年には、来場者は７３０万人台になっていた。来場者も売り上げも伸び悩んでいたのだった。

しかし、ここで森岡さんの発案とスタッフの実行と奮闘で、ＵＳＪの大改革がはじまる。

そこには絶体絶命のピンチや悪戦苦闘があった。

ＵＳＪの開業時から私は、何度もパークに足を運んできた。時には取材で、時にはプライベートで。遊園地やテーマパークが好きで、日本はもちろんのこと、海外も含めると相当数のテーマパークにいっていると思う。感動やスリル、ワクワクとドキドキ。非日常が手軽に味わえるところも魅力。ストレス発散だけでなく、感動や家族と仲間のふれあいも深められる。

それだけではない、私は、テーマパークには、地域の誇りや経済効果、波及効果、人材育成と雇用確保など都市への素晴らしい影響力が沢山詰まっていると思っている。東京ディズニーランドに対抗するＵＳＪの立ち位置。大阪にＵＳＪが出来た時は大変嬉しかった。それまでにロサンゼルスにあるユニバーサル・スタジオにも何度か来園していて、魅力を理解していたし、大阪に映画が体験できる本格的なパークが出来るということで、ワクワクした。その気持ちは大阪人なら誰でも同じだったのでは無いか。その期待がオープン当時のすごい人気につながったと考える。

しかし、大阪市第三セクター時代の経営と、相次ぐ不祥事やトラブルで、２００４年に事実上の破綻に追い込まれる。救いの手を差し伸べたのは米国ユニバーサル社から招かれ、経営刷新や合理的経営を推進した、グレン・ガンペル氏だった。

米国ハリウッドを舞台に、ＡＢＣテレビのリレーションズマネージャー、ユニバーサル・スタジオ・ハリウッド法務・事業担当副社長、米国監督組合、ユニバーサル・パークス・アンド・リゾーツ海外事業担当社長を経てＵＳＪの社長に就任。ビジネスの大海原を戦ってきたプロ中のプロだった。

ＵＳＪは息を吹き返し、２００７年３月には東証マザーズに株式公開を果たした。このガンペル社長に「マーケティングのプロとしてうちに来ないか」と強く誘われたのが、森岡毅その人だった。

「関西から日本を元気に！」というメッセージ

森岡氏は兵庫県伊丹市出身。１９９６年に神戸大学を卒業。Ｐ＆Ｇジャパン・マーケティング本部に入社。ヴィダル・サスーンなどのヘアケアブランドのブランドマネージャーを担当し、米国にあるＰ＆Ｇ世界本社に移籍。北米パンテーンのブランドマネージャーやウェラジャパン副代表を歴任。２０１０年６月にガンペル社長にＵＳＪへとヘッドハンティングされたのだった。

森岡氏が手がけた改革は、ＵＳＪが元々一番の強みとした映画のテーマパークという部分の見直し。合わせて徹底して様々な数字を調べた。なぜ集客規模が落ち込んだのか。

人気下落の裏にハリウッドのアトラクションをそのまま持ち込み、日本の基準より火薬の使用量が多いアトラクションがあり問題視されたことや水道に工業用水が一部紛れていた事、賞味期限切れ商品の販売など不祥事もあった。果たしてそれだけが入場者数の伸び悩みの真の原因だったのか。

様々な要因を徹底的に分析した。そして森岡氏は、パーク内をくまなく歩き始めたという。それも毎日かかさず。そして、「こだわるポイントが違っているのでは」という答えを導きだす。

根底にあったのは「関西依存の集客構造からの脱却」だった。

ＵＳＪに来て森岡氏が行ったのは、ＵＳＪ開園10周年のハッピーサプライズ。もちろんお金をかけず、「またＵＳＪに来たい」と思わせるための仕掛け。森岡氏は頭を使い続ける。「フラッシュ・バンド・ビート」を思いついた。

従業員が、突然踊り出し、楽器を鳴らし、「あれ何が起こったの」と観客が思っている間に集まってくる別の従業員らも一緒になって踊り出す。そこにプロの演奏家やダンサーも加わり、見事なショーが繰り広げられていく。みんな目を丸くして突然のショーのスタートに度肝を抜かれ、観客もそのショーに巻き込まれていく。

今ではメジャーになったが、この頃はあまり日本ではあまり知られていなかった「フラッシュ・モブ」を持ってきたのだ。これなら元々いた一流のダンサーや従業員で展開できる。しかも、観客はサプライズに感動するという仕掛け。パーク内で通常行われていたアトラクションやショーよりも観客満足度を導き出せたという。

お金を掛けなくても感動を作るという森岡イズムのスタートアップだった。その他にも写真を撮影すると錯覚効果の写真を撮影できる「トリック・アート」ポイントを、10カ所作った。自分が参加、撮影する事で驚きに満ちた写真が撮れる。これも人気を呼んだ。

ひっそりと行われていた漫画「ONE PIECE（ワンピース）」のライブ・ショーを日の当たる場所に仕込んだ。テレビCMを仕込み、ワンピースを人気ショーに格上げした。そして迎えた開園10周年のイベントがスタートした2011年3月。未曾有の震災が起こる。東日本大震災だ。

翌日からUSJには、人の足が止まってしまう。

日本全国、非日常を忘れて歓声を上げている場合では無かったのだ。関西の自粛ムードは4月になっても戻らなかった。

そこで考えたのが「関西から日本を元気に！」というメッセージと「関西の子供を無料で招待し、沢山の笑顔を生み出すこと」だった。

自粛ムードを吹き飛ばすためにスタッフや森岡氏は走り出す。橋下大阪府知事にも「関西から日本を元気にする」という意思を説明。定例記者会見で橋下知事もＵＳＪにエールを送った。するとＧＷ前までに子供連れや、一般客も戻ってきたのだった。

「ダークサイドを楽しむ日常」

森岡氏の発想と実行が、次々と打ち出されていく。しかし、１つも失敗は許されない。次はハロウィーンがターゲット。ハロウィーンといっても当時、日本人は西洋のそのイベントが何を意味するか正確には理解していなかった。

そこで森岡氏が考えたのは「ダークサイドを楽しむ日常」だった。つまり日本人は清く正しく振る舞い真面目。ストレス発散の場所が少ない。アメリカ的なハロウィーンの持ち味の一つはすなわち、羽目をはずすパーティーやダークサイド的な非日常を楽しむイベントである点。その側面を日本のイベントにも持ち込もうと企画する。

森岡氏は過去のＵＳＪで行われたイベントの資料や映像を調べていて、ゾンビに遭遇するというイベントをみつけたそうだ。ゾンビは従業員が担当。観客を驚かせ、怖がらせる、

ＵＳＪのお化け屋敷化。森岡氏は「これだ」と思い実行する。「ハロウィーン・ホラー・ナイト」は想定の2万人をはるかに上回る、1晩に2倍の6万人の観客がＵＳＪの会場に訪れた。その後「ハロウィーン・ホラー・ナイト」は閑散期の10月の目玉となり、ひとつの大型アトラクションが年間を通じて集客する人数より多い客を集める名物イベントになった。

また、森岡氏はそれまでのＵＳＪの「大人のためのパーク」、「映画のパーク」という設定を打破する。映画にこだわり過ぎで、パーク内のアトラクションやショーが大人向けに偏っていた。古くからのファンにとってはこれがＵＳＪの一番の魅力であり、他のパークと異なる強み。そう簡単には変えられない。しかし森岡氏はある経験から、これを変えねばと強く思う様になる。

ある時、森岡氏は自分の幼稚園の子供をパークに連れて行く。すると身長制限で乗れるアトラクションが非常に少ないことに気がつく。そしてこれは乗れると安心して行ったアトラクション「ＪＡＷＳ」で子供さんは震え、泣き、恐怖したそうだ。

幼稚園の子供にはリアルな巨大ザメが現れるのは恐怖でしかなかったのだ。同じように恐竜もターミネーターも子供たちには理解しにくく、迫力があればあるほど「怖い」だけ

USJの人気施設

の存在になってしまっていたのだ。

森岡氏そのことを家族との体験から知る。ファミリー向けのアトラクションは数が少なかった。つまり「子供とは一緒に遊べない」というイメージがUSJにあったということを森岡氏は理解した。

そこで具体策として動いたのが、ファミリーエリアの創出であった。当時あった「ランド・オブ・オズ」エリアの約3万平方メートルの土地をファミリーエリアに改修。USJにすでにあった、セサミストリートのエルモ、スヌーピー、ハローキティを活用して小さな子供も家族連れで楽しめる「ユニバーサル・ワンダーランド」を作り出す。

身長制限は最小限にし、小さな子供も楽しめる。デザインは母親や親も満足するクオリティーを目指す。そして元々ＵＳＪにあったキャラクターを最大限に活用し経費を抑える。子供の目線にこだわったアトラクション。しかも安全でどこにも無い最高の仕上がり。28の施設を持つ新しいファミリーエリアが２０１２年春にオープン。発案からわずか2年弱。すごいスピードだ。この発案から実現するスピードが森岡氏の真骨頂だ。

子供たちの層をパークに集客。低年齢を含む家族連れが、ＵＳＪに訪れる様になったのだ。

森岡氏はお金をかけないで話題を生み出し、パークへの集客できないかと、ジェットコースターを逆向きに走らせることを思いつく。

次に老朽化していたスパイダーマンのアトラクションを映像の進化を進めて、見事にリノベーション。

まさにアイディアは実現させないと意味がない。低予算でヒットを次々と飛ばしていった。

そして生み出した収益を、４５０億円ものリスクを背負う、ハリーポッターエリア建設につぎ込む。

ハリーポッターの大成功はご承知の通り。ハリーポッターエリア建設は「関西依存の集客から脱却し、将来への生き残りを賭けてＵＳＪが生まれ変わる」シンボル的なエリアと森岡氏は位置付けた。森岡氏の戦略の上に構築されたエリアだった。

森岡氏が著書の中で何度か指摘する大切な考え方がある。

「強化されたストックは、アイディアをひらめかせる確率を上げる大きな武器になる」と。

ＵＳＪは、ハリーポッターの新エリアがオープンし、翌年の２０１４年には、開業時の記録だった入場者数を更新。みごと１０５０万人を達成した。

そして２０１６年には、集客を１４６０万人にまで引き上げ、ＵＳＪは業績をＶ字回復させたのだった。

関西発ベンチャー企業としての存在感

私は、森岡氏とは番組出演やプライベートでも何度かご一緒させていただいた。その度に、その発想とパワフルな行動力には、いつも私は驚き舌を巻く。ＵＳＪにハリーポッターエリアが出来る前に１００キロ以上あった体重が、いまでは70キロを切る体重になり、スリムになられた。「自分の体重が管理できないようでは、ダメですから」と笑って説明する姿が可愛くうつる。バイオリンを愛し、家族を大切にし、最近は自転車にも凝っている。釣りに狩猟になんでも「面白い」を発見できる達人と尊敬している。

新型コロナウイルスに対する日本の姿勢に対しては、「ゼロか１００かではなく、真ん中を狙っていくべき。経済も感染防止も大切なこと。しかし、感染防止を徹底的に行いロックダウンをすれば経済は回らなくなる。かといって経済ばかり１００パーセント回せば、感染者が増加し日本は回らなくなる。知恵を絞り、ギリギリを目指して行くこと。そのために必死で考えてゼロか１００かでは無く、最適のところを狙って行くことが大事」と、前向きで説得力のある論を力説する。私も同感だ。

またこうも言う。

「日本企業は素晴らしい。関西にも優秀な会社がたくさんある。しかし、よく調べてみると、内向きの会社が多い。マーケティングは理論に基づき冷静に分析をすること。しかし、日本企業は『過去こうだった』『やってきたがダメだった』といった思い込みをしている事が多い。

消費者に買ってもらうには選んでもらう確率を上げる必要がある。例えば商品に触れてもらう機会を増やせば買ってもらう確率は上がる。認知度が上がれば手にしてもらえる確率が上がる。商品の良さや魅力が伝われば購買につながる確率は格段に上がる。この確率を増やして行くことが一番。多くの会社はお客はモノを買っていると思っているが、そうではなくて、ブランドや商品のイメージを買っている」と説明する。

「日本は、社員が上司や仲間を見ながら仕事をしている。なぜ買ってくれているのかという消費者の心に向いていない。社内論理ではなくマーケットを分析して欲しい。お客様が何を感じて、何を求めているのか、いないのか。みんなが1時間考えるだけで会社も商品も変わる。そう思いませんか」

森岡さんの言葉は、至極当たり前のことを訴えてくる。考える振りやポーズだけを示していて、毎日真剣に考えている会社員はきっと少ない。森岡氏と話していると自分の普段持っている「常識」を考え直すきっかけになる。

常に暖かく前向きな森岡氏。パワーの源がまったく枯れない人物だ。

森岡氏は自分の使命を果たしたとして、USJを2017年に退社。新たに仲間たちと、マーケティング精鋭の集う、株式会社刀を設立し、代表取締役CEOに就任した。

その後、刀と森岡氏はうどん専門店「丸亀製麺」のブランド復活や兵庫県三木市のグリーンピア三木（現・ネスタリゾート神戸）の再生を成功させてきた。ネスタリゾート神戸は自然に囲まれた広大な大地が魅力で、アウトドアーを最大限に生かした大冒険テーマパークに衣替え。入場者数や売り上げを2倍超にした。

注目の関西のベンチャー企業として存在感を示している。

そして、次なるターゲットとして大和証券グループと提携。資本業務提携し約１４０億円を調達した。また、沖縄北部にテーマパークを開業する計画も推進している。沖縄に新しいテーマパークが出来れば沖縄が変わるはず。アジアへの最大のゲートは沖縄。そして最高のリゾートにもできる。さらに沖縄の地域振興と日本の観光立国戦略に変化をもたらす起点になると森岡氏は説明する。

また、２０２１年春には、西武鉄道との協業による事業として埼玉県所沢市に西武園ゆうえんちのリニューアルオープンを進めている。

映画『永遠の０』『ＡＬＷＡＹＳ 三丁目の夕日』『キネマの神様』などのヒットメーカーで日本を代表するＶＦＸ（視覚効果）監督でもある山崎貴監督が映像を担当。最新の音響と映像技術を駆使した大型ライド・アトラクションを登場させる。

生きた昭和の熱気を味わえる世界観が展開するというから、とても楽しみだ。

徹底したマーケティング戦略に裏付けされた森岡理論。「マーケティングで、日本を元気に」という彼の合言葉は、益々全国にその活躍の範囲を広げている。

6 関西経済を引っ張る元気印の企業群

「食」でヒット商品を生む有名企業の数々

奇跡の復活を遂げたＵＳＪ。しかし、復活を遂げるには元々魅力があったり、力が無ければ簡単にはいかない。ＵＳＪはそもそも素晴らしいコンテンツ力を有していたが、その発揮方法が分からなかったと私は分析する。

最初は奇抜な取り組みをしていたとしても、段々と人は慣れて行く。そのうち改革に臆病になり、変革を望まなくなる。

そして自分の強みも個性も見えなくなる。「なぜ勝てないのか。なぜ売れないのか」。疑問を持つうちはマシだ。それすらも感じなくなり「所詮こんなもの」と負け癖がつくとそこから這い上がるのには、相当の覚悟がいる。リーダーも周りも、変革への強い覚悟が無いと空中分解か企業の倒産という最悪の結果を招く。

関西の凋落はこの「負け癖」の積み重ねだったように思う。

関西の経済界に目を転じると元気な企業も目に付く。大阪市内の産業のトップ5は「卸売・小売業」「サービス業」「情報・通信」「不動産業」「製造業」の順番となっている。例えば全体の比率からみると「卸売・小売業」は27・7％のシェアとなっている。

そんな大阪だが元気一杯の企業も多く存在する……。いや、ここのところ本当に多く目に付く。

いくつか例を挙げていく。まずは、創業1914年のチョーヤ梅酒株式会社。大阪府羽曳野市に拠点を構える創業1914年の梅酒メーカー。元々はワインやブランデーを作っていたぶどう栽培農家。

しかし、1950年代に創業者らがヨーロッパを旅し、本場のワイン製造を目の当たりにし、日本でワインを作っていても、そのうち本物に負けると考えて、日本の独自の酒を模索。考え抜いた日本の梅酒の販売スタートは、1959年だった。しかし、当時は「梅酒は家庭で作るもの」というイメージが強く、売れるまでに20年を要したという。その後も売れたら売れたで他のメーカーが参入。競争が激化した。しかし、チョーヤは、未来を信じて、自社製品を信じてぶれずに梅酒を作り続けた。

梅酒専業メーカとしての本物のこだわりは、やがて全国的な人気を手にする。そこには、農家出身の強みを生かした土作りからはじまり、梅酒作りに適した品種の改良や製造過程があった。梅酒に適した多くの梅を保有し、安定した商品供給が高品質の梅酒を作り出し人気を手に入れたのだった。粘り勝ちの勝利。

テレビの「さ〜らりとした梅酒」のコマーシャルソングでも有名。売上高は124億円（2018年）とチョーヤの梅酒を知らない人はいない、国内シェアのトップを誇る。高い知名度とオンリーワンのブランドを手に入れた。ブランド「CHOYA」は英語表記になり、そこには世界で勝負できる日本の酒を目指すという思いが込められている。関西人の粘りとブランド意識が根付く会社だ。

カップラーメンの生みの親、日清食品株式会社も大阪の会社。現在は東京都新宿区新宿と大阪市淀川区西中島に本社を置く。大阪本社は東海道新幹線の新大阪駅からほど近い。私も昔、番組とのコラボ企画でカップラーメンを作った事があり、東京も大阪の本社も何度か訪れ企画会議を行った経験がある。また、創業者の故・安藤百福氏にもお会いして直接お話を伺ったこともある。

2018年には、この創業者・安藤百福氏をモデルにしたNHKの朝の連続ドラマ『まんぷく』が放送され、発明家の立花萬平（長谷川博己）、支える妻福子（安藤サクラ）のチキンラーメンの開発やカップヌードル開発の奮闘記と波乱万丈のストーリーが人気を博した。

「ラ王」「カップヌードル」「UFO」「チキンラーメン」「どん兵衛」などの人気の即席麺だけでなく、低温食品事業や菓子事業、飲料事業も好調でカップヌードルは2019年度・国内年間売上は1000億円を達成。商品開発の強さとブランド力を磨く戦略の巧みさは、大阪の発想や大阪からスタートした企業風土は、日清食品の強みとして会社の中に確実に生きている。

その他にも、東大阪市に本店と大阪本社を置き、東京都千代田区に東京本社を置くハウス食品株式会社、ハム・ソーセージ大手の日本ハム株式会社の本社も大阪市北区にある。私は2004年から2年間だけ営業部の次長を務めた。その時に、思ったより大阪に本社を置く有名企業が多いということを、肌で感じた。

担当したパナソニック株式会社や大和ハウス工業株式会社、ダイキン工業株式会社、関西電力、オリックス株式会社、江崎グリコ株式会社、コクヨ株式会社、積水ハウス株式会社、株式会社ダスキンとミスタードーナツ、サンスター株式会社、森下仁丹株式会社。知らなかった多くのアイディアと、逞しい大阪商売の力を直に勉強する場ともなった。

「粉もん文化」は全国区に！

その営業部時代に知り合い、長くお付き合いさせて頂いた会社の1つ、株式会社元祖たこ昌も忘れられない会社。創業者の故・山路昌彦氏は豪快で大阪人らしいアイディアマンだった。

堺市西区浜寺で山路氏と最初にお会いした時の鮮烈な印象は、今も鮮明に覚えている。海苔の卸会社をやっていたが、海苔の売り上げが思うように伸びない。そこで考えたのが、今では全国的にポピュラーになった、節分に食べる太巻きの丸かぶり。大阪海苔協同組合と協同して自身の発案した太巻きの丸かぶりイベントを道頓堀で開始した。

1970年代前半のこと。元々大阪市中央区の宝海苔の3男だった山路氏が「海苔が沢山売れるには、消費を伸ばすしかない。食い倒れの街で早食い競争をしたら、オモロイでしょ。黙々と巻き寿司にかぶりつく。テレビ取材が来てくれたら映像的にも良いんじゃないかと思ったんですよ」。初めてこの時、恵方巻きの丸かぶりのルーツを聞いたのだった。

山路氏の狙いは的中し、いかにも大阪らしいイベントとして定着していく。マスコミも飛びつく。早食い競争と海苔巻きの面白い映像。男も女も、恵方と呼ばれる毎年変わる縁起のいい方向を向いて、一言も喋らずにひたすら太巻きを食べる。

山路氏は「ずっと昔からある風習を現代によみがえらせたと説明した」と、そのヒットのカラクリも教えてくれた。どうやら恵方巻きという巻き寿司は江戸時代末期から明治時代にあるにはあったが、現在の形ではなかったようだ。それを山路氏がイベントとして盛り上げ、宣伝し、ブームを作ったのだった。

山路氏は「必ず昔からあったと説明したのがポイント。結構、みんな盛り上がってくれた。ストーリーもブームには大切なこと」と説明した。伝統というストーリーをうまく使ったのだ。その後、関西の伝統文化となった節分の巻き寿司は、大手コンビニのキャンペーンもあり、全国へと拡大していく。

また、山路氏は1986年から冷凍のたこ焼き販売をスタートさせる。そこにも「東京に持っていっても熱々の美味しいたこ焼きが食べられたらいいのに」という声を耳にした山路氏の閃きと実現力が発揮される。たこ焼きの焼きたて感と味を再現するのに5年を要したという、日本初の冷凍のお土産たこ焼きが発売され、大人気となっていく。

大阪空港に店舗を置いたところ飛行機のキャビンアテンダントが口コミで東京土産として火をつけ大きく広がる。「東京でも本場のたこ焼きを食べられる」という噂が広がり面白いように売れたそうだ。新幹線の新大阪駅や道頓堀にも店舗を広げ、お土産とともにたこ焼きの魅力を広げる。「連れて行ってたこ昌、大阪出るとき連れてってー」と歌うテレビコマーシャルも話題になった。たこ焼きのコースも出るたこ昌のたこ焼き専門店もオープン。ふわふわのたこ焼きはそれまでのたこ焼きのイメージを変える美味しさだった。

山路昌彦氏は沢山のアイディアを実現し2014年に他界。父の意思を継ぎ2代目の山路秀樹氏は映画とコラボをした限定商品を展開したり、冷凍たこ焼きが泉佐野市のふるさと納税返礼品に採択されたりと、新たなたこ昌を目指して奮闘している。たこ焼き、明石焼き、お好み焼きに新たに博多明太子味やキムチ、京・九条ネギもたこ焼きラインナップに加わり、大阪から地方へ大阪の味を広げていくことに力を注ぐ。

「美味しいからみんなが買ってくれる。お土産に買ってくれて東京や地方の人も大阪の味だと喜んでくださる。だからこそ、商品は絶対に美味しくなければならない。これが大阪の味と言ってもらえる商品なのだから」。2代目を継いだ山路社長が力説する。そこが大阪人のぶれない心意気だと私は感じる。

その他にも、粉もんの店も独自の展開と商品開発でしのぎを削る。全国にお好み焼き店舗を展開する千房株式会社。たこ焼き・明石焼きのたこ家道頓堀くくるを擁する白ハト食品工業。人気店だけでなく、大阪の人に尋ねると必ず、個人それぞれが持つ一推しのお好み焼きとたこ焼き店がある。粉もん愛が半端ないのも大阪人の特徴。

日本コナモン協会会長で食文化研究家、「粉もん」という言葉を日本に広げたタコヤキストの熊谷真菜さんは、

「粉もんはダシが命。天下の台所の大阪の食の文化は凄まじい。東京とは異なる、江戸時代から熟成された客と店主の切磋琢磨がある。味への執念のようなこだわりが、大阪の粉もんには、凝縮している。大阪の人は美味しくなければ二度と来ない。客にちゃんとサービスしなければ、店は決して繁盛しない。客の前で作るパフォーマンスと、安くて美味いを実践するたこ焼きは凄い。たこ焼きやお好み焼きは、大阪の知恵の塊だ。大阪の食の幅の広さも文化の豊かさだと思う」と力を込めて解説する。

たこ焼き研究の日本の第一人者、大阪の新名物「道頓堀やきそば」を作ったり、道頓堀たこ焼き連合会を主宰する熊谷さん。いつも熊谷さんには、大阪の食の奥深さや各会社の名物社長、名店の店主の心意気を教えられる。

東京とはまた違った文化が大阪にあることを、肌と舌で感じられる。

大阪人の反骨精神と東京への強い憧れ

弱体化する関西財界から沢山の会社が、エクソダス（脱出）していった時期があった。

「関西の産業構造は基礎資源型、素材型産業に偏っており、成長産業である機械、電機な

どの加工組立型産業のウェートが低いことが、関西産業の地盤沈下の原因であるとしている。大阪はまさに、時代の変化に即していない産業の誘致に巨大な投資をして、このような産業構造を自ら強化したのである」

奈良産業大学経済学部教授の野口隆氏は『産業と経済』第23巻・第3・4号の「大阪・関西経済を振り返る~大阪・関西、不幸な3つの失敗~」の論文の中でこう指摘する。

コスモ石油、カネボウ、住友商事、武田薬品工業、田辺三菱製薬、藤沢薬品工業（アステラス製薬）、大阪発の大企業がいくつも東京に本社を移転した。

中には、大阪と東京の両方に本社を置く社もあるが、機能の大部分は東京という社も多い。しかし、同じ関西でも京都は違う。

京セラや任天堂、日本電産、村田製作所、オムロン、島津製作所などなど、京都に本社を置く、京都からスタートした会社の多くは本社を東京に移転しない。

理由を尋ねると、島津製作所の中本晃会長は「京都はもともと物作りの会社が多くて、みんな繋がっている。東京にいかなくてもイノベーションも出来るし、京都の方が地域も狭いし小回りが利く。多分それが、京都の会社のいいところではないか」と教えてくれた。

大阪は会社が大きくなると「いつか東京で勝負」という傾向が強いように思う。それは大阪人の反骨精神と東京への強い憧れが、大阪人の心の根っこに深く強くある影響ではないかと私は分析する。

２０２０年９月、人材派遣事業を中核に展開するパソナグループが、本社機能を兵庫県淡路島に移転すると発表。衝撃が走った。働く人の真に豊かな生き方と働き方の実現が目的と言うが、役員・社員約１２００人が段階的に移り住む計画は大阪にも刺激を与えている。

東京集中の回避や新型コロナウイルス感染の観点からも、関西での会社経営や本社化の考察に対して、１つのビジョンを提示する。

テレワークやリモート環境の拡充により、東京である必要は低下しつつある。関西の住みやすさを改めて見直す企業のケースもある。

関西圏や大阪府の経済の回復基調も追い風になっている。

その好調要因の１つに、２０２５年の大阪・関西万博の開催もある。大阪や関西圏のビジネスチャンスの拡大も大いに期待されるところだ。

今はまだ、新型コロナウイルスの影響が影を落とすが、これまでは、ＵＳＪの好調やインバウンド拡大が、大きく大阪経済を牽引し、逆に、東京は一極集中の弊害が、益々顕著になっている。関西出身者が住みやすさを求めて大阪に帰ってくるケースもコロナ禍で増えている。

また、大阪の企業には、東京の企業が失った、会社経営の自由度の高さがあることも見逃せない。大阪人の商売の特徴としては、「ホンマかいな」「やってみなはれ」「うちはうち」の3つが大切だという。

大阪を舞台とした人情物や商売ものを題材にして、人気を博し、小説家やテレビドラマの脚本家としても活躍した、花登筺《はなとこばこ》。『番頭はんと丁稚どん』『細うで繁盛記』『どてらい男《やつ》』『ぬかるみの女』などのヒット作がある。

花登筺作品に出てくる、大阪商人の立身出世のセオリーはまさにこの3つ。読売テレビの大ヒットドラマ『細うで繁盛記』の中でも、大阪生まれの主人公の関口加代（新珠三千代）が大阪商人の心構えを武器に老舗旅館を盛り立てていくというストーリー。

まずは、常識を疑い独自の工夫をする。挑戦をおそれない。他のものに安易に迎合せず、プライドを持ち独自路線を歩む勇気を持つ。そうすれば必ず成功が訪れる。歯を食いしばり頑張り続けるというもの。

関西の商売人の本来の強さの秘密はこんなところに隠されているのかもしれない。

最新技術も関西には集結している

ここまで、大阪の商売と根底に流れる気概、そして独自性を説明した。東京とは異なる、大阪の魅力を理解していただけた事だろう。

大阪は知れば知るほど奥が深い。面白い元気一杯の会社も多い。

例えば、アニメのキャラクターや動物や歴史的建物の精巧なフィギュアで知られる大阪府門真市の「海洋堂」は知る人ぞ知る、有名模型会社。ハリウッドの有名監督や特撮監督がこっそりお忍びで現れる。「センム」がニックネームの宮脇修一氏を中心に、造形師という職人らがフィギュアの原型や一点モノの模型を作っている。「模型の梁山泊」とも呼ばれている。

食玩というお菓子につく精巧なおまけから、アニメキャラクター、鉄道、飛行機などの精巧なフィギュアは言うまでもなく、全国の博物館や美術館から依頼を受けた館内に展示する、城や仏像、街の巨大パノラマ、貴重な動植物の模型まで手がける。

まさにオンリーワンの会社。「自由な雰囲気を大切に、大阪から世界に通用する面白いモノを作っていく」と宮脇氏はいつもパワフルだ。海洋堂は、アジアや欧米のアーティスト、映像関係者からも「聖地」と崇められている。

またデジタルトランスフォーメーション（ＤＸ）が注目されているが、大阪でもＤＸの実現と業務効率化を積極的に展開する会社も活躍している。

スマホやタブレットから店舗のレジシステムを管理できる事業を行う、大阪市中央区の株式会社スマレジも高機能と安さを武器にして、クラウドPOSレジで小売店のIT導入を推進する。2020年11月には登録店舗数が9万店舗を超えた。

医療機関や会計業務にも新規導入を増やし、オンライン商談を展開している。利便性やものづくり技術継承という新しいもの、便利なものをすぐに取り入れるという大阪人の特性も反映されている。ピンチの時に町衆が立ち上がるという、大阪人の気質もあるのかもしれない。

そんな気概や気質を受け止める、最新技術も関西には集結している。

兵庫県神戸市にはスパコンFOCUS（フォーカス）がある。公的機関所有のスパコンでは国内唯一、一般企業への貸し出し専用のスパコンだ。2011年の設置以来、約200社が商品開発などに利用し活用されているという。隣の理化学研究所には、国内最速の計算速度を誇ったスパコン「京《けい》」の後継機「富岳《ふがく》」がある。

兵庫県佐用町には、大型放射光施設「スプリング8」がある。和歌山毒入りカレー事件でのヒ素の成分鑑定で注目された施設。タンパク質や金属結晶など物質の最小構造を電子レベルまで解析できる。実はここも関西企業の利用が、伸びていて新商品の開発やデーター研究などに利用されているという。

大阪の周辺には、京都大学、神戸大学、同志社大学、関西学院大学、立命館大学などの有名大学も多く、大阪府の中にも、大阪大学、大阪市立大学、関西大学、近畿大学といった優秀な大学、研究機関や研究者を多く持つ。ノーベル賞の受賞者も多い。京都大学では、湯川秀樹、朝永振一郎、福井謙一、野依良治、本庶佑、ｉｐｓ細胞の山中伸弥、京都大学と大阪大学で学んだ吉野彰、京都の島津製作所勤務の田中耕一ら数えるとその多さに改めて気づく。

目を転じて、世界遺産文化登録も関西地域は日本の中でダントツに多い。１９９３年に初めて奈良の「法隆寺地域の仏教建造物」と兵庫県姫路市の「姫路城」が登録された。また、大阪府では、仁徳天皇陵古墳を含む「百舌鳥・古市古墳群」が２０１９年７月に登録された。また京都府の「古都京都の文化財」、奈良県・和歌山県・三重県の「紀伊山地の霊場と参詣道」もある。文化と歴史が息づく地域であることも強み。

そんな関西の強みを生かそうと、関西のもの作り最前線を支える町工場も元気だ。積極的に大学と連携を深めてオンリーワン技術を育てている会社もある。「さびないネジ」を開発した東大阪市の竹中製作所は、京都大学化学研究所と連携し、締め付けてもネジの塗装が剥げないネジを作った。

今では防食性ネジの世界シェアの約5割を占める。

大阪の町工場衛星「まいど1号」の旗振り役でも注目された、東大阪市の株式会社アオキ・青木豊彦会長は、「東大阪には沢山の中小企業や町工場がある。どこもよそが真似できない優れた技術を持っている。歯ブラシからロケットまでとよく言うが、熟練の職人の技や最先端の技術もある」と力強く語った。

東大阪市の町工場はピークだった1980年代には1万軒を数えた。しかし今は6000軒を割る。しかし、工場同士の連携やオンリーワンの技術を生かした会社も多く、若い世代を取り込み新たなムーブを生み出している。

第3章

もっと飛躍！
2025年への提案

1
関西広域連合と大阪都構想の挑戦

全国に先駆けた地方分権の連携組織

新型コロナウイルス感染拡大で大阪からインバウンドが消えた。

東京に次ぐ観光都市・大阪府。訪日外国人観光客数は１２３０万７７１４人（２０１９年度・観光庁「訪日外国人消費動向調査２０１９年年間値の推計」）で、最も多く訪れていたのは中国人だった。韓国、台湾、東アジア、欧米からの観光客がそれに続いた。

大阪府の訪問率は38・６％でこれもまた東京に次ぐ全国2位を占めていた。関西国際空港の国際線増発や格安航空ＬＣＣの台頭、そして新規路線の就航はリピーターの増加も促した。

大阪名物のお好み焼きも外国人に受けていた。目の前で鉄板を使い焼いていくパフォーマンやたこ焼きの珍しさ。

ソース味も外国人に人気で馴染みやすい。野菜が多くヘルシー。和食ブームの寿司やうどんの次は、ちょっとマニアックなお好み焼きというのも納得できる。大阪人の世話好きと話好き、なんでも受け入れる土壌が、アジアや多くのインバウンドを引きつけてきたが、新型コロナウイルスを克服すれば、あの賑わいの復活の日も遠くないと思う。

関西の枠組みで東京と異なる点に、関西広域連合の存在も見逃せない。２０１０年12月1日に発足。近畿を中心とした大阪、京都、兵庫、滋賀、和歌山の近畿5府県に、鳥取、徳島両県を加えた7府県でスタートした。

最初は道州制の議論を見据えて地域エゴを排した、広域行政組織として検討されていたが、防災や産業振興の思惑の違いや、国の権限の大幅移譲などが、議論の壁になり、首長や議会の調整がうまくつかず、奈良県が参加を拒否するなど、暗雲が立ち込め、まとまらなかった。

しかし、それでも橋下大阪府知事や井戸敏三兵庫県知事らの説得や発信で、井戸氏を初代連合会長として地域主権と各府県の絆と、霞が関の省庁側の出先機関への事務権限の移譲を目指す広域連合が船出した。

広域での観光誘致や公益事業、対立点のある事業も国にまかせず、自治体間で議論し合意することなど、今までに無い先進的考えが盛り込まれ、地方分権のモデルとして発信を行うことになった。

国の出先機関の移管については、実現があまり進んでいないが、新型コロナウイルスの感染拡大に対する医師や受け入れ先の病院の連携、拡大を防ぐ往来への注意喚起など、広域医療は既に各自治体の対応や連携に効果をもたらしている。

２０１５年には、奈良県が加わった。京都市、大阪市、堺市、神戸市の４政令指定都市も参加している。地方自治法の規定に基づく特別地方公共団体である。

また、これまでも東日本大震災の時には、被災3県との間でパートナー支援を実行し医療や行政支援など被災地支援を多角的に展開した。関西広域連合のドクターヘリを統合運用し、難しかった救急医療の態勢を整備したり、高速道路の整備問題を地方で話し、関西広域インフラマップに落とし込んだ。大阪・関西万博の開催でも関西広域連合の連携が大きな力となることだろう。

東京一極集中に対する問題提起と世界の関西ネットワークの創出、地方分権型社会の実現を目指す関西広域連合は、文化、広域防災、広域産業振興、広域医療、広域環境保全、広域観光振興などに大きな成果をもたらしていくと考えられる。

関西広域連合が目指した、中央集権の打破と地域の自己決定権の仕組みは、決して忘れてはならない。

関西が全国に先駆けて、地方分権の連携組織を作ったこと、そして発展させ中央集権への対抗手段として活用していくことは、大阪や関西圏のこれからの未来にとって、大きな発展の種となり武器となることだろう。

関西圏の鍵がこの関西広域連合にあることを私は予言しておく。

2020年12月に広域連合会会長に就任した和歌山県知事・仁坂吉伸氏は挨拶の中で「関西はひとつ、関西はひとつひとつ」と述べる。地域の多様性を尊重しながら、関西発展へさらなる飛躍を期待したい。

そもそも、なぜ大阪都構想なのか

東京の人が全く知らないのが、2度の大阪都構想の住民投票についてだ。

1度目の都構想の住民投票は、2015年5月17日に投開票が行われた。反対は70万5585票。賛成69万4844票。僅差での否決だった。大阪市を廃止し5つの特別区に分割する案は葬られ、大阪市の存続が決まったのだった。

記者会見場が設置されたホテルの会議室には、400人近い記者やカメラマンが詰め掛けていた。都構想を推進した橋下徹大阪市長は、

「投票の結果は重く受け止めている。負けは負けです。しっかり市民に都構想の中身を説明できなかった私の力不足です。市長の任期はやりますが、それ以降は政治家はやりません。政界を引退します」

と語った。時に笑顔を見せながら記者の質問に答える橋下氏の顔は「やりきった」という表情。が、しかし、瞳の奥には寂しさと悔しさは隠せなかった。

維新の党の江田憲司代表に話を聞くと、「大阪都構想は一丁目一番の政策だった。それだけに本当に悔しい結果。橋下氏を引退に追い込んでしまった。負けた事実を重く受け止めたい」と瞬きもせずに答えた。

結局この結果で、橋下氏は政界を引退。維新の党の党勢は大きく後退せざるを得なかった。

そもそも都構想とは、大阪都と大阪市の二重行政の解消を旗印として、医療や福祉、小中学校、公民館、図書館などの身近な住民サービスなどは、5つの新たな特別区に担当させ、インフラ整備などの広域行政については大阪府が担当するという内容。区長と区議は

選挙で選び設置。府と区は東京都の23特別区に近い関係になる予定だった。

しかし、自民・公明・民主・共産党はこれに反対。住民サービスの低下と多額の移行コストがかかるというのが主な反対理由だった。裏には、維新人気を打破したいという各政党の思惑も大きかった。大阪都構想は、維新の悲願となる。

そして2度目の大阪都構想の住民投票は、2020年11月1日に行われた。維新の松井一郎大阪市長（維新の会代表）と吉村洋文大阪府知事（維新の会副代表）も今回は2度目、背水の陣で臨んだはずだった。

2度目の住民投票は、前回反対に回った公明党が賛成に回った。また大阪府知事選挙や大阪市長選挙で改めて公約も掲げ、選挙に勝利し、住民投票にこぎ着けたのだった。

維新の会の党内も、また我々マスコミも、当初は住民投票の行方を維新が有利と見ていたことは否定しない。新型コロナウイルスの感染対策で奔走する、大阪府知事の吉村氏の存在も大きかった。大阪モデルの打ち出しや大阪の独自支援策、テレビ出演での力強い府民への訴えは、吉村人気を盛り上げていく。

二重行政の解消と東京と並ぶ大都市に発展させる。コロナ禍の中で序盤の手応えは確かなものだった。しかし風は変わり始める。

反対派は「大阪市が消えていいのか」と訴えた

公明党は前回の反対から賛成に回った。山口那津男代表も応援に入った。しかし、公明党支持者の中には「なぜ今回は賛成なのか」「都構想の中身はあまり変わらない。前に反対したのだから、反対する」と反発や疑問の声も大きく、水面下は「公明党が一枚岩で応援」とはなっていなかった。また「コロナの中でどうして住民投票を強行するのか。コロナが終わってからでもいいのではないか」という逆風も吹き始める。

自民党、共産党、立憲民主党、労働組合が続々と都構想反対を表明する。

自民党大阪市議団幹事長の北野妙子氏と共産党大阪市議団団長の山中智子氏が先頭に立ち、反対運動を加速していく。

「都構想は正しく知ればノーになる」「大阪市廃止分割構想」「大阪市を本当に無くしていいのですか」「書類も手続きも、全部やり直す必要がある。大阪市が無くなると不便」「迷ったら反対に入れてください」とわかりやすいキャッチフレーズや説明を行い続ける。

維新は5つの特別区を淀川区、中央区、北区、天王寺区の4つの特別区に再編し、年間で1000億円の効率化効果を生むと説明。行政の効率化による行政のスピード化と歳出削減や経済波及効果、府市連携によるインフラ整備を市民に訴えた。そして府と市の不幸せ、二重行政の弊害を解消しないと、未来への成長を阻害するとした。

しかし、この説明は反対派の「大阪市が消えていいのか」という訴えよりも高度で、理解にハードルがあった。コロナ感染拡大の中、集会の回数や人数も限られ、「維新優勢」という見方もあり維新サイドの住民への説明は、効率的ではあまりなく「広域行政の一元化」と「区の権限を強める」という政策の浸透が進まなかった。

それでも当日の開票ギリギリまで、「賛成」が勝つのか「反対」が勝つのか我々マスコミも予測がつかなかった。果たして結果は、

反対・69万2996票
賛成・67万5829票

その差は、1万7167票。1・2ポイント差での否決。またもや僅差での敗北だった。

松井氏は記者会見で橋下氏の時と同じく「都構想は終了しました。この結果を真摯に受け止め、謙虚な態度で市政に向かう。責任を感じる。任期満了で政界を引退する」と語っ

た。

また吉村知事も「僕自身が大阪都構想に挑戦することはもうない」と述べ、3度目の住民投票を否定。大阪維新の会は松井氏から吉村氏に代表の座を譲った。

菅首相は、かねてから松井氏と気脈を通じる。今回の住民投票で、自民党大阪府連は都構想に反対したが、菅首相は、最後まで賛否を明言せず自民党大阪府連とは一線を画したのが印象的だった。

政権にとって維新が一定の勢力を保つことは、政府にとってメリットがあるとの判断だったのかもしれない。いずれにしても自民党大阪府連にとっては、最後まですっきりしない関係ではあった。

「住みやすい街に変わった」ゆえの否決

ここでなぜ、都構想が破れたのかについて解説をする。東京や地方から見ていては、大阪で何が起こっていたのか理解できにくいと思うからだ。

まず、住民投票の投票率から見えてくることがある。

投票率は、前回の5年前の住民投票を4ポイント余り下回る62・35％。ほぼ前回と変わらなかった。

しかし、反対票は、前回の票をわずかに上回っている。ここから反対の傾向が1回目の住民投票よりも更に強まったということが見える。

また、反対が多かった区は、今回は14区。賛成が上回った区は10区。前回の住民投票では、反対が多かった区は13区、賛成の区が11区。非常に拮抗していたことがわかる。では何が勝敗を分けたのか。

まず考えられるのは、この数年の大阪の変化だ。

町のいたるところにいたホームレスがいなくなり、ゴミも無くなった。地下鉄は民営化されトイレも掃除が行き届き、女性でも安心して用がたせる。御堂筋は明るくライトアップされ、街の活気も戻った。市民不在の行政が続き、府と市は犬猿の仲というのも今は昔。ひったくりや犯罪も減少し、大阪は住みやすい街に変わった。

橋下徹知事、市長の改革が成果を出し街が変化し住みやすい大阪になったのだ。

すると「何でいまさら大阪市を無くすのか。大阪に何か特別な問題があるのか」「変えることは無い。いまのままでいいのではないか」という人たちが増えたという訳だ。

なんとも皮肉な話だ。

大阪市には、毎年約10万人の人が転入してくる。前の住民投票から数えて、この5年間で、新たな住民は50万人に増えたことになる。

新市民の多くは、財政破綻寸前の大阪を知らない人たち。市民不在の行政は影を潜め、府と市が連携して行政を引っ張っている。

新たに有権者となった若者を含めて「大阪は変わらないでいい」との判断をしたということだ。今の「元気な大阪」が彼らにとってはあたり前なのだ。

松井一郎市長は会見で「府と市が対立する、愚かしい状況を二度と作ってはいけない」と締めくくった。成長する美しい大阪。

橋下氏は、翌日のテレビ番組でコメントを求められ「住民投票は民主主義や政治を知る実践授業。大阪市民も全国の人も、この住民投票を通じて、行政や政策、そして政治を知ることが一番大切なことだ」と結んだ。

都構想の生みの親は、冷静に市民の審判を眺めたのだった。

2

大阪・関西万博「未来社会をリードする大阪」

トラウマを拭ってくれた万博招致の成功

大阪が完全に自信を取り戻し、経済的にも大きく羽ばたき、アジアの要所となるための重要なきっかけとして私が期待しているのが、2025年に開催が予定されている大阪・関西博覧会である。

会期は同年4月13日～10月13日までの184日間で、会場として予定されているのは、大阪湾の北側にある人工島の夢洲《ゆめしま》だ。夢洲は新都心の開発のために舞洲《まいしま》、咲洲《さきしま》と合わせて作られた人工島で、2008年夏季オリンピックを大阪に誘致する際は、舞洲をメイン会場とし、このエリアを通して新しい大阪の魅力と可能性を世界中に発信することが期待されていた。

うまくすれば、文化や産業の拠点として、大阪を改めて世界の表舞台に引き上げることが可能だった。しかし、結果はご存知の通り。オリンピックの招致は、2001年の

ＩＯＣ総会での投票で中国の北京に敗れ、叶わぬ夢となってしまった。

敗因はいろいろと分析することができるが、大まかなところでいえば、当時の関市長も太田知事も行政改革の課題に本腰を入れていたため、最優先事項としてリーダーシップを発揮することができなかった。財界を巻きこみ、市全体、府全体で運動を盛り上げていくことも、十分には叶わなかった。

もしも大阪オリンピックが実現していたら、その盛り上がりは、大阪を一気に明るくし、経済も大いに息を吹き返すチャンスになったに違いない。しかし、それは叶わず、大阪人は再び「しゃーない」と諦めモードになってしまった。そのトラウマを拭ってくれたのが、万博招致の成功なのである。


万博の開催地として立候補していたのは、日本（大阪）の他は、ロシア（エカテリンブルク）とアゼルバイジャン（バクー）だった。２０１8年、11月23日にパリで行われた博覧会国際事務局（ＢＩＥ）総会において、日本（大阪）は、第1回の投票で85票を獲得し、ロシア48票、アゼルバイジャン23票を大きく上回った。さらに決選投票でも、92票を獲得し、ロシアの61票に大きく差をつけて開催権を獲得した。

「大阪でまた国際イベントができる」

この事実は、大阪人に希望を与えたに違いない。五輪招致に敗れた大阪人が自信を取り戻す大きなきっかけになったのである。

そもそも夢洲が大阪万博の会場に選ばれたのは、大阪五輪の開催地にと目論んでいた舞洲の使い途が、宙ぶらりんとなってしまったからだ。

夢洲・舞洲・咲洲の人工3島は、オリンピックの後は、主に港湾地域として開発し、神戸に負けない国際物流の拠点にしようというねらいがあった。だが、注目を浴びる機会を失い、広大な土地はそのまま残された。進出してくる企業もなければ、大々的なイベントもなく、ホテルもない。大阪湾にハミ出た無用の土地になってしまっていたのである。

このように見向きもされないのは、都心から離れていて、電車もなく、とにかく不便だから。だが、万博を開催できれば、その準備のために電車も通せるし、道も整備できる。会期が終わり、アクセスが向上したところに、継続的に人を呼び続ける仕組みをさらに作れば経済的な成長も見込める。そこで注目されたのが、後で述べるIR（統合リゾート）施設をここにつくろう、という構想なのである。

夢洲は、インフラは良くないのだが、実は立地はいい。大阪湾に突き出ており、物流のみならず、人の流れの拠点になることもできる。USJのほか、神戸や瀬戸内海の島々を繋いで船で行き来できるようにすれば、さまざまな観光・娯楽ニーズを持った人々を迎え入れることが可能になる。

「万博があると、何かが変わる」

大阪の人々には、国際イベントのなかでも「万博」を開くということには、特別な意味がある。言うまでもなく、1970年に開催された「日本万国博覧会」を経験しているからである。

特に60代より上の世代の人々にとって、大阪万博は大きな成功体験である。会場には世界各国による118の展示施設が設置され、約半年の会期中に6400万人以上もの人々が世界中から大阪へとやってきた。

もちろん私にとっても、大阪万博は貴重な思い出だ。和式ではない水洗トイレを初めて見たし、生まれて初めてハンバーガーを父と食べた。そもそもあんなにたくさんの外国人を一度に見たのが生まれて初めての出来事だった。

大阪ではさらに「国際花と緑の博覧会」も1990年に開催されている。世界中から2300万人以上の人々が集まったこのイベントも、大阪人にとっては重要な成功体験の記憶である。

ちなみに私はこのとき、オープニングセレモニーの特別番組司会を務めさせて頂いた。ニュースや番組中継の仕事で毎日のように万博会場に足を運んでいたが、「世界にはこんなにたくさんの種類の花があるのか」と素朴に驚いたものだ。大阪市営地下鉄の長堀鶴見緑地線は、この花博会場にアクセスするための路線としてつくられたものである。

そんなわけで、「万博があると、何かが変わる」というのが、大阪人に共通した記憶と感性なのだ。

2025年の大阪・関西万博でも、きっと新しい良い変化が訪れるのではないかと、皆期待しているのではないかと思う。理想は、グローバル化が進むなか、アジアのゲートウェイとしての地位を高めるきっかけをつかむことである。

とはいえ、インバウンド需要を取り込むアジア戦略はコロナ禍の影響で軌道修正を余儀なくされている。当初のねらい通りに展開するかは、未知数と言わざるを得ない。

万博のテーマは「いのち輝く未来社会のデザイン」(Designing Future Society for Our Lives)である。基本計画は次の5つだ。

・海と空を感じられる会場

・世界中の「いのち輝く未来」が集う万博
・未来の技術と社会システムが見える万博
・本格的なエンターテインメントを楽しめる万博
・快適、安全安心、持続可能性に取り組む万博

詳しくは、インターネットで検索して「公益社団法人2025年日本国際博覧会協会」のホームページを見て頂ければと思うが、全体のコンセプトは「未来社会の実験場」となっている。「未来の新しい社会のあり方を具体的に描く」という意味では、先の大阪万博とねらいそのものは似ている。そして、これらの方向性はSDGｓで謳われることも大きく重なっている。

誰もが健康に過ごしながら、新しい社会のシステムやテクノロジーを活用して自分らしい生活をデザインすると、世界はどう変わるのか。それを私達は、大阪の会場で具体的に見て、体験することができるのである。

合計166カ国による出展が予定されており、想定来場者数はおよそ2800万人、経済波及効果は約2兆円と見積もられている。

「健康・医療」が重要なキーワード

地球環境問題とどう向き合うかも大切だが、この万博では、各コンテンツのテーマとして「健康・医療」は、特に重要なキーワードになっていくだろう。

平均寿命は男性が81歳、女性が87歳を超える超高齢社会の日本で、いかに高齢者が安心、安全、健康に過ごしていくのか。また、医療や技術が遅れている世界の諸地域を、日本を含めた先進各国は、どのような方法で支援していくのか。

特に大阪は、医療関係の企業が多い。大阪市中央区道修町には医薬品メーカーが多く並んでいるし、大阪大学は免疫研究で世界トップクラスの地位にある。国立循環器病研究センター（大阪府吹田市）といった大きな医療機関もある。

大阪国際経済振興センター国際部のホームページによると、大阪関西圏には、医薬品や医療基幹分野の研究機関や企業が集積しており、関西圏で国内における医薬製造品出荷額のおよそ27％、大阪ではおよそ10％を占めている。国内医薬品企業の拠点のうち関西に立地する割合はおよそ23％になっている。

つまり、大阪を中心に、関西には「健康・医療」の最先端が集まっているのである。2025年の万博では、そのポテンシャルを大いに発揮し、世界の人々に「大阪の強み」を見せつけてほしいと思う。

健康・医療に関する技術の中には、ＡＩやロボットに関するものも含まれるはずだ。「いのち輝く未来社会のデザイン」のために、３つのいのち（Lives）にフォーカスし、「救う（Saving Lives）」「力を与える（Empowering Lives）」「つなぐ（Connecting Lives）」を軸にした取り組みやイノベーションが提案される。

「救う」とは「感染症への取り組み、健康寿命の延長」、「力を与える」とは「ＡＩやロボットを活用した教育や仕事」、「つなぐ」とは「異文化理解促進、イノベーション創出」である。

１９７０年の万博は「人類の進歩と調和」がテーマだったが、これらはそこにも通じているテーマ性だ。かつての大阪万博がアップデートしたものが、今回の万博になるのだろう。

実際、ＡＩやロボットが進歩すれば、高齢者の生活はより安心で豊かとなり、より社会との調和を実現する。例えば、車の自動運転がもっと手軽になれば、日用品の買いものなどは、特に過疎地に住む高齢者にとって、かなりラクになるだろう（今でもネット通販などで昔よりは大分負担は軽減されているが）。

もちろん、インフラを効率的に共有する手段としては、スマートシティやコンパクトシティの構想も、さらに進化した形で見ることができるのではないかと思う。

そんな中で、オンライン診療によって医師と会話できるようになれば、高齢者の暮らしやすさは、かなり変わってくるはずだ。医師側も、患者が身につけて使用する携帯機器（ウェラブル端末）から得られる情報で心拍数、血圧、運動量などをチェックして、薬を処方し、届けさせたり、逆に、病院まで車を迎えに出すといったことも、可能となるかもしれない。

これは思いつきのアイディアだが、こうした領域で、さまざまな最先端の可能性を目にすることができれば、「私達の社会がどう変わっていくのか」がわかって、とても面白い万博になると思う。未来における「健康的に生きる」その具体的な姿を表す見本市になるわけだ。

ただ、ひとつだけ注文を付けたいのは、もはや時代は、国際イベントだからといって〝箱物〟をばんばん建てる時代ではないということだ。

今なら、VR（バーチャル・リアリティ）の技術を用いて、小さな会場でも世界中を歩き回るような感覚で見物ができるし、世界中の人とオンラインで繋がって交流することもできる。

数年後には、ホログラフによって、離れた相手を目の前に映し出すことも簡単にできるかもしれないし、同時通訳が可能なデバイスやアプリケーションも進化して、言葉の壁すら簡単に乗り越え、海外の人々との気軽なコミュニケーションが可能になっているかもしれない。

私は、そういう新しいコミュニケーションの形をも、今回の万博が見せてくれたら、と期待している。

昔のようにパビリオンを建てて展示をし、会期が終了したら撤収する、という発想にとらわれる必要はないし、とらわれるべきではない。「経済波及効果が少なくなるではないか」という人がいるかもしれないが、「箱物を建てて、建設費がゼネコンに流れて、それが労働者の給料になって……」というだけが経済波及効果ではない。

もしも万博で、リモートながら活発な国際コミュニケーションがなされ、そこからコラボレーションが起きたり、さらなるイノベーションに辿り着いたり、新ビジネスが生まれてベンチャーが立ち上がったりすれば、それもまた立派な経済波及効果である。つまり、万博を機に「経済波及効果」の意味も新しい時代に入っていってほしい。

とはいえ、パビリオンを建てる必要は少なからず生じるだろう。そのときは撤収が容易で、自然に戻せるか、再生可能な素材だけを使うなど、エコロジーに配慮した方法を重視すれば、そこにも新しい可能性を私達は感じることができるはずだ。

とにかく大きな箱物を作り、終わった後で使い道に困るようなことだけはやめて欲しい。そうすれば、万博のために人工島に電車が通り、道が整備された結果、次の展開も容易になっていく。

そう、夢洲IR（統合型リゾート）構想である。

3 世界をターゲットにしたIRと医療ツーリズム

リピーターをどう増やすか

先に述べたように、万博が終わった後、夢洲にはIR（統合型リゾート）構想が持ち上がっている。しかし私は、これには懐疑的な立場だ。

というのも、IR＝「カジノを中心したリゾート地」いう単純な発想で関わろうとする人があまりにも多いからである。統合型リゾートのIRとは、Integrated Resortのこと。では、何が統合されている（Integrated）のか。多くの人は、その本質を理解していない。

IRとは本来、カジノ施設、劇場、国際会議場、展示会場がすべて揃っていなければならない。私はシンガポール、上海、韓国（ウォーカーヒル）、マカオ、ラスベガスといった世界各地のＩＲを見てきたが、カジノ施設しかない場所は、あまり成功していないという印象を持っている。

というのも、そういう整備が行き届いていない場所には、賭け事が好きな人だけが集まってくるからだ。最初は盛り上がるのだが、しばらくすると人が集まらなくなって、段々売り上げも集客も落ち込んでくる。

逆に、成功しているのは、アメリカのラスベガスである。

行けば誰でもわかるが、ラスベガスはとにかくエンターテインメントが充実している。24時間、どこかで何かのショーを必ずやっていて、ホテルはどこも安い。例えば、ロサンゼルスやサンフランシスコなら1泊3万〜4万円もするような広い部屋でも、ラスベガスなら1泊1万円〜2万円くらいで泊まることができる。

不思議に思って現地の人に尋ねたことがあるが、答えは次のようであった。

「宿泊費を安くしなければ、家族で来てもらえないからです。ホテルがメインターゲットにしているお客は、カジノ目当てのお金持ちではありません。ねらいは家族連れで遊びに来てもらい、カジノも少し楽しんでもらうことです。カジノで遊んでもらえれば、宿泊費を抑えても、収益は成り立ちます。このような仕組みにしておかなければ、事業を継続することができないのです」

IRでもっとも重要なのは、継続することである。そのためには、リピーターを増やすことに力を注がなければならないのだ。

ラスベガスに学ぶ健全かつ成功するIR

ラスベガスは、かつてはギャングやマフィアなどの暴力組織が台頭していたため、1950年代~60年代は普通の市民が寄り付かなくなり、低迷期を迎えていた。マフィアが牛耳るなかで、一部の富裕層やアウトローだけの遊び場になってしまったせいである。

だが、「これではいけない」ということでホテル経営者や行政を中心に、彼らを排除し、ラスベガスはショーに注力した。マジックショーやコンサートを開催し、ボクシングなどを誘致し、さまざまなショーを目当てに人々が家族で訪れることができる場所に変えていった。

同時に、空いている会場は国際会議や展示会などで使ってもらえるように整備して、ホテルの稼働率を上げげた。その結果、例えば、国際学会がラスベガスで開かれるようになった。すると、集まった参加者は空いた時間にショーを見たり、カジノで遊んでお金を落としていく。この様な構図ができあがったのである。

ラスベガスでは、このようにアメリカ国中あるいは世界中から人々が集まるイベントが、毎日のように開催されている。その結果、カジノも潤うわけなのだ。

ラスベガスにはいまや遊園地もある。噴水ショーのように、お金を１セントも遣わなくても楽しめるエンターテインメント要素があちこちに満ちている。犯罪も非常に少なく、家族で安心して遊びに行くことができる街となっている。

加えて、ラスベガスからグランドキャニオンまでは、飛行機が飛んでいたり、バスが出ていたりして、ラスベガスを飛び出した観光ツアーも楽しめる。ラスベガスでショーを楽しみ、ついでにグランドキャニオンの大自然にも触れることができるわけだ。

それらを満喫した上で、「ポーカーでも少しやっていこう」「ルーレットで遊んでいくかな」といった人々をカジノは受け入れているのである。

実際、街に立ってみると、もっぱらカジノを目当てにラスベガスを訪れる人は、全体からするとかなり少ないことがわかる。私は、これが健全かつ成功するＩＲのあり方だと思う。

夢洲のＩＲ構想を持続可能な成功に導くなら、同じように、まずは展示会のような見本市や国際会議といったイベントを充実させることが重要である。

さらにカジノに併設する劇場やホールでのショーのために、一流の企画とパフォーマーを集める。ラスベガスで「へえ」と思うのは、夜21時から始まるショーもあれば、23時からのショーもあるところだ。よくある18時、19時スタートなどのショーもあるが、文字通り24時間、どこかで何かをやっている。しかも、そこでしか見ることができないトップアーティストのショーが楽しめる。

私自身、デビッド・カッパーフィールドのイリュージョンショーには息を飲んだし、ロバータ・フラックのコンサートには深く胸を打たれた。一流のアーティストの魅力的なショーが充実しており、それを目当てに人々が集まる、という形が重要なのである。

人々はついでにカジノに寄る。カジノの位置づけは、その程度で構わないし、そうあるべきなのだ。

この点、夢洲の場合、ショッピングモールやアウトレットを誘致してもいいかもしれない。日本ならではの温泉施設などがあっても面白い。もちろん品ぞろえやサービスは高いクオリティで充実しており、それ自体に魅力がある必要がある。

繰り返しになるが、さらにそこにカジノがあれば、「同じショッピングモールにいくなら、カジノもあるし、夢洲に行こう」という風になるからである。

夢洲は、ＵＳＪと組んで盛り上げることも可能だ。船で夢洲とＵＳＪをつなぎ、乗船した瞬間からＵＳＪの雰囲気を楽しめるようにしたら、楽しさは格別に違いない。

この「海で繋がっている」というのは、ラスベガスにはない強みになり得る。夢洲からは、ＵＳＪのみならず、船を利用して関西国際空港や神戸空港にも行ける（あるいは逆に、迎え入れることができる）。

さらに瀬戸内海まで移動距離を伸ばせば、直島の安藤忠雄美術館を訪ねたり、淡路島の「ハローキティスマイル」に立ち寄ったり、２０１７年７月にオープンした淡路島公園アニメパーク「ニジゲンノモリ」で遊んでくることもできる。

１日遊べるような乗船チケットがあれば、夢洲を拠点に様々なコンテンツに触れることが可能となるわけだ。

書いているだけで楽しくなってくるが、このように「夢洲に遊びに行く」が多様性を持つようになって初めて、「カジノもある」という事実も効いてくるわけなのである。

家族連れで来て遊べる場所へ

日本中、世界中から集まった人のためには、もちろん「大阪らしさ」も力強く打ち出したい。例えば、シンガポールのカジノでは、シンガポールの歴史を振り返るショーが展開されている。家族連れで行って、学ぶことができる優良コンテンツだ。

夢洲なら、プロジェクションマッピングなどを利用して、大阪の歴史を19時から30分などと、時間を決めて毎日やるのはどうだろう。太閤秀吉の天下取り、商人の街としての発展、文楽や歌舞伎の歴史など、大阪の歴史を題材にするなら、話題には事欠かない。

こうしたエンターテインメントを織りまぜていくことで、外国のＩＲではなく「大阪に遊びに来る」ことの価値が高まっていく。多岐にわたるエンターテインメントが盛りだくさんだから、1回来ただけでは、到底味わい尽くすことはできない。

「また来よう」「次はこれをしよう」などと、誰もが後ろ髪を引かれて大阪を後にする。これがリピーターを生み出すことにつながる。継続して収益を上げることが可能となっていくわけである。


ＩＲ誘致の議論では、大抵「カジノは是か非か」という議論になりがちだが、カジノを最優先で考えるから、双方歩み寄ることができないのだ。ＩＲ＝賭け事という図式には、どうしても後ろ暗くよこしまなイメージを持つ人もいるし、トラブル、犯罪といった「ややこしい」臭いがつきまとう。

そうではなく、海に囲まれた夢洲ならではの、開放感満載のＩＲを考えればいい。そういう建付けならば、ＩＲの誘致に反対する人も説得しやすいのではないだろうか。ＩＲの設計では、「家族連れで来て遊べる場所」という側面を強く意識し続ける必要があると私は考えている。

ちなみに、全国の競馬場でも、馬と触れ合えるキッズ・イベントを企画したり、隣にバーベキュー会場を設置して遊具も充実させるなど、ファミリー層で楽しく時間を過ごせる取り組みを積極的に実施している所も少なくない。

健康的で安全な場としてＰＲすることで、地域に受け入れられる。継続して来場者を確保し、収益を維持するための努力といえるだろう。

「大阪は医療・健康の街」というイメージを世界に

今回の万博によって、「大阪は医療・健康の街」というイメージを世界に発信することが出来れば、日本にとって新しい、巨大なビジネスチャンスを掘り起こすことにも繋がる。医療ツーリズムをスムーズにして、海外の人が日本の質の高い医療をもっと気軽に受けられるようにするのである。

アジアにも富裕層はたくさんいるが、例えばフィリピン、中国、インドなどだと、お金はあるのに十分な医療を自国では受けられないという人も多い。日本では白内障の手術など、もはや日帰りで受けられるし、安全性も高い。「白内障になって。私はこれからどうなるのか」などと、深刻に悩む人は少ない。

だが、海外ではそうはいかず、苦しんでいる人も多い。そこで「白内障の人のための治療ツーリズム」を企画し、日本に来てもらって手術を受けて帰国してもらうわけだ。

患者は病気が治るし、日本の病院側は設備を始めとする医療資源を有効活用できるし、技術の向上や人材の育成にも繋がるので、これはＷｉｎ-Ｗｉｎである。

特に、アジアの富裕層は、アメリカなど欧米圏で高度な医療を受けることも不可能ではないが、選べるならば、同じアジア人である日本人に治療をしてもらう方が、安心感を覚えやすいのかもしれないし、距離的な利点も有る。

もちろん、より高度な医療を提供することも可能だ。内視鏡手術を支援するロボット「ダ・ヴィンチ」を利用すれば、体に負担をかけない低侵襲での心臓手術や各部のがん手術が可能になる。従来ならば、メスで開腹しなければならなかった手術でも、腹腔鏡手術が可能となり、数日の入院で退院できるようになる。

このような手術を万博を機に、「商品」として提供できるようにするわけである。

もちろん国民健康保険を適用することはできないので、日本人が手術を受けるよりは高くついてしまうが、「お金はかかるが、それでも健康になりたい」という人に対し、日本の医療は門戸を広げることが可能となる。

受け入れ態勢を整えるうえで、必要ならば財団を設立し、申請に応じて富裕層だけでなく、医療を受けたい海外の方に対して医療費の支払いを支援するという仕組みを設けてもいいだろう。当然、医療ツーリズムを目的とする外国人は入国をスムーズにするといった、制度上のサポートも必要となってくる。


なにより重要なのは、「日本で手術を受けたい」という外国人のニーズと、それに適した医療機関や医師とをマッチングさせるしくみである。

今は外国人が「日本で質の高い医療を受けたい」と思っても、どこにどんな病院があるのか、どの病院の実績が優れているのかなどを検索したり、「あなたにはこの病院が向いています」とマッチングを提案するしくみが存在しない。

これを可能にし、「自分の国では難しいので、日本でいい治療を受けたい」というニーズに応えられるようにしたら、大きな収益性に繋がりうる。

設備を増やしたりする必要はない。ただＩＴによってマッチングを可能にすればよいだけである（もちろんその技術は、日本人向けにも応用したいところだが）。

そして、「日本にはこういう医療があって、こんな治療やケアができますよ」ということをもっと海外に向かって積極的に発信していけば、医療でもっと「稼ぐ」ことが可能になる。逼迫する医療費の財政負担を軽減する一助にもなるだろう。

医療ツーリズムの受け入れは日本全国で可能だが、まずは万博で「健康と医療のまち」のイメージを大いに発信した大阪に特区をつくろう。

モデル地域として試行錯誤を重ね、問題点や法整備で必要なものを洗い出す。当然、そこでは万博で用いられた技術もふんだんに活用したい。

オンラインでの予後診断を自動翻訳ツールとともに行うことができれば、患者が帰国して切れ目のない医療は不可能ではなくなる。いや、むしろ大阪万博でこうした構想を実演動画込みでプレゼンテーションしてもいいくらいである。

このように医療ニーズと病院や医師とのマッチングが日本で効率化されていないのには、医療業界の既得権益や法整備の遅れが影響している部分がある。とはいえ、大阪万博は、日本の健康・医療テクノロジーの可能性を海外の人々の胸に焼き付けるチャンスである。海外からのニーズや期待を強く感じる機会となれば、変わるきっかけになるかもしれない。その結果、マッチングに必要な情報公開がさらに加速すれば、医療業界に健全な競争が生まれる。医療の質はさらに高まり、効率化されていくことも期待できる。

大阪・関西万博は、万博を成功させればそれで終わり、ではない。その先では、さらに大阪が飛躍するための可能性に満ちている。ここから万博までの時間は、そのための滑走路である。

第4章

大阪から世界が見える——フォーリー淳子・大同門社長との対談

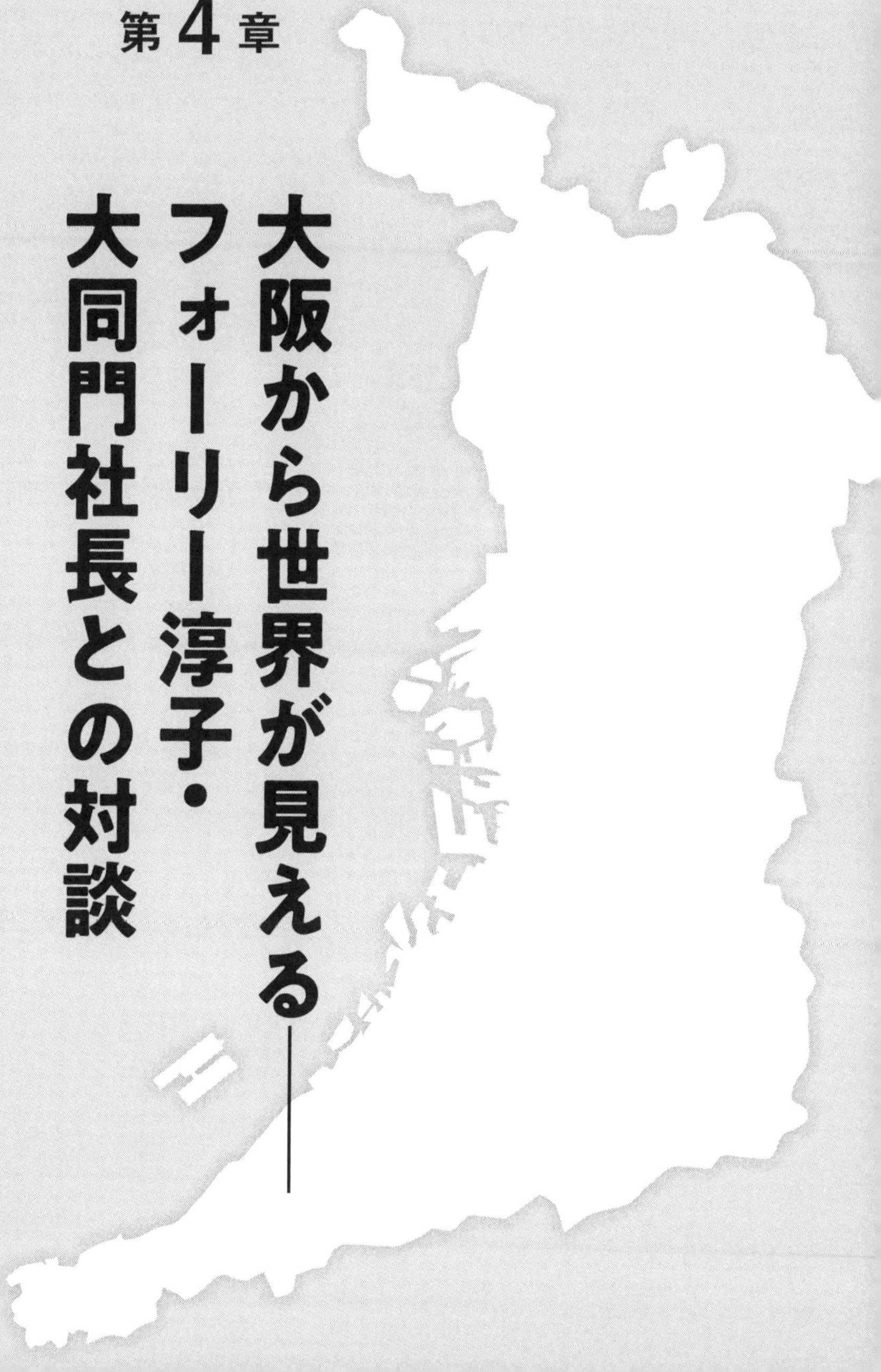

フォーリー淳子　（ふぉーりー・じゅんこ）

神戸女学院大学卒。大阪府知事付通訳として勤務後、同時通訳者として活動。
33 歳で起業、英国オンラインデータベースの会社 MAID 社の日本総代理店、㈱メイド・ジャパンを設立。同社事業売却後、1998 年にシルバーエッグ・テクノロジー㈱をトーマス・フォーリー氏と設立。専務取締役＆COO として同社の事業構築に携わる。同社は 2016 年 9 月に東証マザーズに上場。現在大手 ECサイトを含む日本の多くの大手中堅サイトに、AIベースのマーケティングサービスを提供中。
2010 年に、民事再生にてファンドの手に渡った家業のレストラン・チェーン「焼肉の大同門」を買戻し、社長に就任。2015 年シルバーエッグ・テクノロジー専務取締役退任。2021年３月に同社取締役就任。
大阪スタートアップコミュニティで積極的に活動。大阪イノベーションハブ（OIH）メンター、日本ホスピタリティ推進協会理事、関西経済同友会幹事。

関西人の関西人による関西のためのサミット

結城　まず最初に伺いますが、フォーリーさんが関わっている「関西フューチャーサミット」とは何でしょう。関西の未来のためのサミット？

フォーリー　そうです。2019年から、スタートアップの経営者の有志で始めたものです。ある日、経営者仲間で飲んでいる時、「関西を元気にしないとね。関西もっと面白くしたいね」という話になったんです。当時は大阪で開かれるスタートアップの大きなイベントも、東京発のものが目立ってました。だから「関西人の関西人による関西人のためのイベント」をつくろう、という話になったんです。

面白いのは出席者の多くはもちろん、実行委員ボードや運営事務局も全員、起業家だということ。起業家たちが手持ち弁当で行うイベントで、1年目は大阪の難波で開催し、320名ほど集まりました。参加費は5万5000円と、スタートアップの経営者から見ると非常に高額ですが、それでもそれだけの価値を見いだし、来てくれた。しかも100%満足していただき、「ぜひ来年もやりたい」ということで、翌年は京都でやりました。この時はスポンサーもついて参加費を3万5000円と下げることができ、350人ほど集まりました。

結城　大阪の人はケチで実利をとる。だから、2回もお金を払うのはすごいです。

フォーリー　十分、元が取れたということでしょう。3回目になる2021年は、京阪神連携をスタートアップからしっかりとやっていこうということで、11月に神戸ポートピアホテルで開催予定です。日にちもだいたい決まり、今は開催に向けて事務局が動きだしたようです。私は初年度からの実行委員ボードメンバーをさせていただいてます。実行委員メンバーは活躍しているスタートアップやベンチャー企業の社長さんで、例えばスマレジの山本博士社長もそのおひとりです。

結城　スマレジという会社はどういう企業でしょうか。

フォーリー　店舗で使われるPOS（販売時点情報管理）システムをご存じですね。通常のシステムは結構高価なのですが、この会社ではクラウド型で提供することで、低コストで高機能なPOSレジを店舗が導入できるようにしました。2019年に東証マザーズに上場されました。

株式会社ペイフォワードの谷井等社長もメンバーです。彼はシナジーマーケティング株式会社を2005年に設立し、2007年にJASDAQに上場させた人です。

結城　シナジーマーケティングとは？

フォーリー　CRM（Customer Relationship Management）というマーケティングの概念があります。これは顧客に関する情報を一元的に管理して、メールやソーシャルメディアで顧客とコミュニケーションを図り顧客との関係性を構築するというものです。これを実現するのにCRMマーケティングのツールを使うのですが、シナジーマーケティングではそのツールを提供しています。たとえばECサイトに初めて来られた顧客やしばらくこられていない顧客など顧客のタイプやセグメントに応じてそこに合ったメールを送るというようなことができます。

谷井社長は、シナジーマーケティングを上場させたあと、ヤフーに会社を売却しましたが、なんと5年後にまたヤフーから買い戻したというパワーの持ち主です。いろいろなスタートアップ企業へのエンジェル投資もされていて、スタートアップ業界の〝妖怪〟〈良い意味ですよ（笑）〉みたいな存在です。

株式会社i-plugの中野智哉社長もパワフルな中心メンバーのひとりです。彼の会社は新卒採用に新しい風を吹き込みました。これまでの新卒採用は、企業が就活イベントやセミナーで求人情報を公開して人材からのエントリーを待つスタイルでした。中野さんの会社の提供するOffer Box（オファーボックス）では、学生自らが自分の長所や経歴をエントリーしたデータベースに企業側が直接アクセスして、学生にアプローチをするというダイレクト・リクルーティングを提供しています。これまでの新卒採用方法の逆転のアプローチですね。同社は2021年3月に東証マザーズに上場しました。

中野さんは太陽みたいな人で、彼の光を浴びようと周りにスタートアップの社長や若手経営者が集まってくるみたいなイメージを私は持っています（笑）。

起業家とその卵が大集結

結城　そんなに面白い人が集まるのはなぜでしょう。

フォーリー　ひとりひとりがすごく魅力があるのです。「この人を応援しよう」という気持ちにさせるものを持っています。こうした人たちの周りに「関西を一緒に面白くしよう」「関西をもう1回元気にしよう」という起業家や起業家の卵、経営者が集まって、2年前に関西フューチャーサミットがスタートしたのです。

結城　つまり「起業家の起業家による起業家のためのイベント」ですね。それによって関西を元気にする。プロ達が集まって、新たなプロ達のために「頑張れよ」とエールを送ったり、システムを構築していく。

フォーリー　面白い人達が集まれば、かつて関西が持っていた「面白いことができる社

関西フューチャーサミットの様子

会の雰囲気」が復活するのではないか。そのために、面白い人たちが集まる場所をつくろうと考えたのです。

結城　具体的に何をやっているのですか。

フォーリー　私たちがやるのは場づくりで、その中から化学反応が起こるのを期待しています。具体的な内容は知りませんが、参加後、新しいビジネスや協業といった取り組みがスタートしたという話を聞いています。

結城　フォーリーさんはどんな役割をされているのでしょうか。

フォーリー　ボードメンバーとして、セッションの内容を考えたり、集客のお手伝いをしたりしました。昨年の京都でのイベントでは私は「関西経済の未来における京阪神連携とは」というメインセッションを、元・大阪市で大阪イノベーションハブの設立にかかわり、今も関西のイノベーションエコシステムを語らせたらむちゃくちゃ熱いＨｕｍａｎ　Ｈｕｂ　Ｊａｐａｎ吉川正晃さんと担当して、どなたをスピーカーによぶかを考えたり、実際にスピーカー依頼をかけたりしました。

結城　スピーカーのプロフィールを見ると、20代、30代中心で若いですね。テーマは「ＩＰＯぶっちゃけ話」「関西で10億調達」「ＰＲ戦略を学ぼう」などといろいろあって、それらを聞くことで面白いアイデアを得たり、一緒にやってみたい人を見つけるのですね。

フォーリー　刺激も得られます。お話しいただく経営者には、ボタニカルシャンプー「ボタニスト」で有名な、スキンケアやコスメといった美容やビューティ関連のブランド展開をしている、株式会社Ｉ-ｎｅ（アイエヌイー）の大西洋平社長をはじめ、普通ならなかなか直接お会いして話ができない人が多くいます。そういう経営者が目の前で、それも裃《かみしも》を着た話でなく、腹を割った話をするのです。

しかもセッション後、「ファイヤーサイド・チャット（炉辺談話）」というコーナーもあります。経営者たちが談笑する中に入って、直接質問したり話をするチャンスがある。これもものすごく勉強、刺激になります。

SDGsは「儲かりまっせ」

結城　フォーリーさんも「ベンチャーにとってのSDGs」というテーマで話していま す。どういう内容ですか。

フォーリー　「SDGs（持続可能な開発目標）」というと、大企業だけがやっている遠い 世界のイメージがあります。でもそうではなく、「SDGsは儲かりまっせ」という話を しました。するとみんな、前のめりになります（笑）。

私はこのセッションのモデレーターだったのですが、実際、登壇をお願いした起業家の 方たちは、みんなSDGsをビジネスのコアに置いています。今SDGs市場は変わりつ つあって、日本でも20代やミレニアム世代、Z世代と呼ばれる人たちは、SDGsの視点 で製品や企業を選ぶ傾向がでてきています。つまりベンチャーにとってSDGsは、ビジ ネス視点においても欠かせない要素になってきています。

例えば阪口竜也社長のフロムファーイースト株式会社では、カンボジアの貧困層を支援 するため、製品の原料のモリンガやレモングラスを彼らに植林してもらっています。「こ の製品はそうしてつくられている」というストーリーを提示すると、消費者はその製品を選ぶようになるのです。「店頭にシャンプーが3種類あったとして、自分たちのシャンプーが選ばれるのは、そういうストーリーがあるからで、ストーリーがあることで自分たちの会社はここまで来た」。阪口社長は、そんな話をされていました。

もうひとり、スピーカーで登壇された株式会社TBMの山﨑敦義社長は、紙やビニールではなく、二酸化炭素の排出量が少なく、しかも再生可能な新素材を使うビジネスを展開しています。例えば飲食店がメニュー表をつくる時、紙ではなく、その新素材を使う。すると「環境に優しい店」ということで、お客様だけでなく、取引先からも「この店と付き合おう」と選ばれる存在になる。ストーリーを見せることで店も儲かるし、TBMも儲かるというわけです。

さらに日本のベンチャーキャピタルでも、SDGsに取り組む企業に投資する動きが非常に加速しているそうです。SDGsをやることで、いろいろな門戸が開かれるとも、スピーカーの皆さんがおっしゃっていました。例えば大企業と組みたいと思っても、今まではなかなか門戸が開かれなかった。それがSDGsを切り口にすると、一緒にビジネスで組みやすくなるというのです。そういう実例をたくさんお話しされたこともあり、非常に面白く好評でした。

結城　今から20年ぐらい前、企業のメセナ（芸術文化活動への支援）参加がけっこう話題になりました。今でもやっている企業はたくさんありますが、掛け声だけだったり、格好つけのために言っているように感じます。そのあたり、ＳＤＧｓへの取り組みは何が違うのでしょうか。

ビジネスアイディアの基にＳＤＧｓ

フォーリー　私には21歳の息子がいますが、物の選び方を見ると、ＳＤＧｓの流れが確実に来ていると思います。我々が若かった頃は、ブランド志向、特に有名ブランドで選ぶ傾向があったと思うのですが、うちの息子などは、製品のストーリー性、例えば「自然に優しい竹を素材に使っているオーストラリアの下着を買いたい」などで選ぶようになっていると言う感じです。やはり20代は確実に変わってきていると思います。ＳＤＧｓ絡みだと、代替肉の話とかも出ますよね。

結城　大豆などを使用して作るお肉ですね。フォーリーさんは「焼肉の大同門」の社長だから、やはり肉系に興味がある（笑）。

フォーリー　若い人達をはじめ、大豆肉などの代替肉や、培養肉に関する注目が増えています。背景にあるのは地球環境問題で、牛のゲップには強力な温室効果ガスのメタンが多く含まれ、これが地球温暖化を促進するという話があったり、健康志向や食糧危機などの問題があり「何とかしなければ」というわけで、これもＳＤＧｓへの取り組みのひとつです。

結城　牛のゲップと地球温暖化の関係は真偽不明で、僕は地球温暖化は、海洋から出る二酸化炭素の影響も大きいと思っています。

フォーリー　それもあるでしょう。いずれにせよ健康の話も含め、今のスタートアップのビジネスアイディアは多くがＳＤＧｓをベースにしています。

結城　新しい考え方、新しい生き方、新しい生活スタイルをもとにＳＤＧｓを生かしたベンチャーを立ち上げる。確かに面白い発想です。

フォーリー　スピーカーの話を聞く中で、そういう発想がポンと生まれてくる。そんな場所に居合わせられる。サミットでそういうワクワク感を提供できたので、２回目も３回目もという声が出たのだと思います。

結城　ＳＤＧｓで僕が思い出すひとつが、「社会的共通資本」という言葉です。ご存じですか。

フォーリー　あまりよく知らないです。

結城　経済学者の宇沢弘文が唱えた言葉です。２０１４年に亡くなりましたが、「日本で最もノーベル経済学賞に近い」と言われた人です。社会的共通資本とは、例えば教育や医療、道路といった社会的な制度とインフラは、人びとが楽しく持続して経済活動を行うために必要な基礎である、という考えに基づくものです。

資本主義は物を追求することで、お金が入る世界です。でもそれを持続化するには、教育や医療など生きるために必要なものがあり、それらをみんなで育てていかなければならない。そうすれば文化や科学はもっと進歩し、人間の豊かさはもっと持続的になってくる。こういう考えを宇沢さんはずっと提唱してきたのですが、あまりこれまで認めてもらえませんでした。でもこれからはＳＤＧｓ同様、社会的共通資本という考え方もビジネスになってくる気がしてきました。

フォーリー　キーワードは「持続可能」で、これはコロナ禍の下で非常に大切な考え方です。働き方ひとつにしても、リモートワークやワーケーションなど、新たな動きが生まれています。

そうした中で過去の在り方に縛られていると、たぶん置いていかれます。今言われた社会的共通資本もそうで、社会をどのように持続可能な形に持っていくか。社会に共通する必要な部分は何なのか。こうしたこと考えていくのは、非常に重要です。

入社して驚いた大阪の焼肉文化

結城　ここしばらくの間、古臭く遅れた社会のイメージが強かった大阪から、このような最先端の話が出てきたのがすごいです。私は１９８６年に就職して東京から大阪に来ましたが、当時の大阪は今と全然違いました。

ちょうどバブル景気の最中で、金まみれで、ヤクザの抗争もたくさんあった。豊田商事の永野一男会長がマンションで刺殺されたのが、僕が来る前年の１９８５年です。同じ頃グリコ・森永事件があって、「めちゃくちゃ恐い街に来た」「俺、こんな街でやっていけるの？」と思いました。

フォーリー　グリコ・森永事件の話が出ましたが、あの時、お金の受け渡し場所に指定されたのが大同門の寝屋川店でした。当時の大同門は支店が非常に多く、有名店だったので選ばれたのでしょう。

結城　読売テレビで番組の打ち上げや忘年会をする時も、必ず大同門さんでした。30〜40人で行って、どんちゃん騒ぎしていました。

フォーリー　またよろしくお願いします（笑）。

結城　美味しかったし、何といっても種類が多かった。東京では、そんなに多くの部位を見ません。ロースは知っていましたが、ミノやイチボなんて聞いたことがありません。今は東京の焼肉屋さんでも出てきますが、昔はなかったと思います。せいぜいホルモンです。

フォーリー　1968年に創業した当時のメニューを見ると、ロースやカルビはあってもハラミはありません。あれは後からできたメニューです。

結城　もうひとつ驚いたのが、焼肉屋に行く頻度です。東京にいた頃は、学生でもあったし、焼肉屋なんて年に1、2回程度です。それが大阪では毎月、焼肉を食べに行く。ふぐ屋もそれぐらいの頻度で、別世界にいるようでした。

フォーリー　ライフスタイルや価値観が、がらっと変わったのですね。

結城　そうです。その中で忘れもしないのが、取材で西成のあいりん地区に行った時です。先輩が「結城、カメラや機材から離れるなよ」と言って、彼はジュースを買いに行きました。帰ってきたら、もう機材がひとつなくなっていた。「何でちゃんと見てなかった！」と怒られましたが、僕はちゃんと見張っていたはずなのに気づかなかったんです。「大変なところに来た」というのが当時の印象でした。それが今やスタートアップやベンチャーの話を聞けるのですから、時代の流れを感じます。

1980年代から四半世紀病んでいた

フォーリー　86年にいらっしゃった頃、すでに大阪は疲れてたのですね。

結城　その後、1995年に横山ノックさんが大阪府知事になったりして、大阪の経済と行政が次第にぼろぼろになりました。それ以前から関西経済がどんどん悪化し、大阪にあった企業が全部、東京へ移っていった。東京の日本テレビの記者たちと話した時、「大きな事件が起こるのは関西」とよく言われたのを覚えています。

フォーリー　私も大阪に力がなくなっていくのを肌感覚で感じました。

結城　当時は大阪府知事の通訳をされていましたね。

フォーリー　ノックさんの前の前、岸昌知事の時代です。岸知事は関西国際空港の建設をはじめ、政治的な決断力がすごくおありでしたが、大阪の力が弱まるのを止められなかった。あのあたりから、大阪の力が落ちていったのかもしれません。

それに比べて東京は、どんどん発展していった。大阪の力が落ちたというより、磁石のように東京にみんな引かれていった気がします。

結城　当時の大阪の人達は、「しゃーないいな」とばかり言っていた気がします。どんどん負け犬になっていく。有名企業がどんどん東京に取られ、自分達の面白さも失われていく。本来、大阪人は見栄っぱりだから、「東京には負けへん」という気持ちが強かったのに、それがみるみる失われ、「しゃーないな」になっていった。

フォーリー　「東京対大阪」という思いがあるのに、東京からは相手にされていない感じもありました。あの頃の東京は、なぜあんなにきらびやかだったのでしょう。

結城　金融と政治の中心が全部東京にあり、すべてが東京で決まっていたのです。そこから東京にいなければダメとなり、商社や金融系の大企業がみな東京へ移っていった。

僕は作家の堺屋太一さんが亡くなる前に番組の取材でよくお会いしたのですが、「1970年代頃の大阪はものすごい活気があった」とおっしゃっていました。「日本中の人たちが注目していた場所だった」と。それが80年代頃から、東京にすべてが集まっていく。元総務大臣の増田寛也さん言うところの〝ブラックホール状態〟で、東京に全部飲み込まれていく。その結果、大阪も地方都市に転落していった。

これは大阪だけでなく、僕の故郷の鳥取も、島根も福岡もみんなそうです。すべて東京に集中し、「東京」と「その他」になってしまった。

フォーリー　歯がゆいですね。大阪で事業を営む私としては大阪にもう少し頑張って欲しい。

結城　その歯がゆい気持ちは、どこから来ますか？　僕は出身が大阪の人ではないから、その気持ちがよくわからない。

フォーリー　大阪人は大阪人であることを愛してますし、プライドと競争心があります。「俺のところが実は一番」と本気で思っていて、阪神タイガースにしても、いくら負けても負けても、いつかは勝つと信じている。そんなところがあるんです。

それと一緒で、地元意識がすごく強い。「自分の好きな大阪と違う」「自分の好きな大阪に戻ってほしい」、「もっと良くなってほしい」と常に大阪に対してそんな気持ちがあると思います。たぶん東京に行った大阪人も、みんなそう思っているはずです。

昭和の初めには日本一の大都市

結城　ただ、これからは日本も変わってくるかもしれません。これからは、どこにいても仕事ができるようになります。そうなって初めて、「地方創生」や「地方分権」というものが、まともに考えられる時代になると思います。これは僕が、日本中を回る中で感じることです。

例えば今回のコロナ禍で、リモートワークが一般的になった。あるいは「旅とは何だろう」「家族とは何だろう」「仕事とは何だろう」と、みんなが考えるようになった。コロナ禍でこうした動きが、5、6年進んだ気がします。SDGsもそのひとつで、地球環境をどう維持するかについて、みんな考えだした気がします。

もうひとつ大阪の可能性を言うと、大阪では昔から、いろいろなものが生まれています。江戸時代に歌舞伎が生まれ、その歌舞伎を発展させたのは上方です。日本中の食の流通をつくったのも大阪です。貨幣の流通経路も大阪商人がつくった。豊臣秀吉以降、日本人の文化と食と経済の中心は、この大阪にあったのです。そうした歴史が大阪人の遺伝子に組み込まれている気がします。

その後1868年に明治が始まり、ここで大阪の成長に大きく関与したのが五代友厚です。明治の実業家というと渋沢栄一が注目されますが、同時に五代友厚も注目すべきです。大阪に証券取引所や商工会議所をつくり、電鉄や大阪港をつくったのも五代友厚です。五代友厚が大阪の経済を築き、日本経済の礎を築いたのです。

そして関東大震災後には、「大大阪」と呼ばれる時代が来ました。当時の大阪の人口は、東京を抜いてトップでした。世界で6番目の人口を誇り、220万人が住んでいました。

フォーリー　すごいですね。

結城　そういうことを大阪の人は知らないでしょう。大阪が本当にすごい街であったことを、みんな忘れているんです。建築家の安藤忠雄さんに教えてもらったのですが、明治8年には伊藤博文など、維新の志士らが集まって今後の日本について協議した「大阪会議」も開かれています。

その場所が北区にある中之島で、「だから桜を植えなあかん」と言って、安藤さんは桜を植える運動をされたのです。「結城、知っとるか。大阪は昔、『日本のマンチェスター』と言われとったんや」と、僕は何度も言われました。五代友厚はイギリスに留学していたので、「東洋のマンチェスターを目指す」と言っていた。マンチェスターは紡績で栄えた街で、大阪も同じにしようと紡績業に力を注いだのです。

フォーリー　面白いですね、それも初めて聞きました。

結城　だからこそベンチャーをやる人には、歴史的な大阪の凄さを知ってほしい。元大阪市長の橋下徹さんも、よく「大阪には凄いポテンシャルがある」と言っています。じつはコロナ禍が起こる前、世界で一番観光客が訪れていたのは大阪だそうです。僕も驚きましたが、橋下さんにも、遺伝子に組み込まれた「この街はすごいぞ」という思いがあるように思います。

大阪人の強みは、人との距離の近さ

フォーリー　私は大阪人というのは、国際人になりやすいと思っています。大阪人の特徴に「人懐こさ」があります。私の夫はアメリカ人で、来日した当初は東京に住んでいました。彼によると、東京は人が困っていてもなかなか声をかけてくれる人が少なかったそうです。ところが大阪ではジロジロ見られるけれど、とても人懐こくて、すぐに助けてくれる。自分とは全然違う異世界の人も、中に入れてくれる。そういう人懐こさや暖かさは、これから国際社会をつくるにあたって、すごく大事になる。そんな話を2人でしていました。

結城　人間力も、すごくあります。ニューヨークを歩いていて、日本語で一番聞こえてくるのは大阪弁です。日本語が聞こえると思ったら、「あー、こっち行ってな」と大阪弁で話している。

フォーリー　確かに恐れを知らず、大阪弁で通しますよね。大阪のおばちゃんは、そういう点では最強です（笑）。

結城　忘れもしない事件があります。ニュースキャスターの辛坊治郎さんと、元日にアメリカのサンディエゴに行ったことがあるんです。クルマで30分のところにメキシコのティファナという町があり、「せっかくだから行こうよ」となった。元日のメキシコの国境の街に誰もいるわけないと思っていたら、なんと大阪のおばさん達がいた（笑）。「これ、ソースかけるんちゃう？　そやな、かけてみー。美味しいでー」なんて話をしていました。

フォーリー　外国へ行った時、どこへ行っても日本食で通す人がいました。これだと自分の世界が広がらず、面白くありません。それが大阪のおばちゃんだと、何にでもチャレンジして、自分の世界を広げられる。

結城　その時は辛坊さんが、「あっ、辛坊治郎だ！」と声をかけられました。

フォーリー　お友達が増えますよね。そういう大阪人のノリを、もっとアピールすればいい。

結城　大阪人は、いいところがいっぱいあります。優しくて〝アメちゃん〟をくれるおばさんがいたり、自分の事をめちゃくちゃひけらかす人がいたり、本当にいろんな方がいらっしゃる。そしてインタビューすると、誰も恐がらない。

フォーリー　東京は違いますか？

結城　東京は、マイクを向けたらみんな逃げていきます。だからインタビューするのが難しい。これが大阪だと指で銃の形をつくって「バーン！」とやると、「ううっ！」とやられた格好をする。「おいおい、そこまでやれって言ってないよ」と（笑）。ボケとツッコミがあって、必ずオチをつけてくる。ノリが全然違います。

フォーリー　そういう人は多いですね。人との距離が近いからでしょうね。裃を着ていないから、すぐに溶け込める。それはよいところであり、一方で鬱陶しがられたりもしますが。

結城　人との距離の近さは、インバウンド相手にも有効です。若者にはやりの「裏なんば」に行った時、中国人カップルと香港人カップルとイタリア人の男の子がいたんです。みんなでスマホの翻訳アプリを使って、会話をしていました。僕にも「今食べているもの美味しそうだけど，何という料理？」などと話しかけてきて、一緒に2時間ぐらい飲みました。途中で店主や別の客も会話に加わって来て、男の子がイタリアから来たと知ると「じゃあこれも食べなさい」とみんなにおごってくれた。

コロナ禍が終わったら、こういうやりとりが、また始まるといいと思います。

「大阪という名前を捨てるぐらいで！」

フォーリー　私は大阪について、インターナショナルな都市になってほしいと思っています。確かに大阪はインバウンドですごく賑わいましたが、東京と大阪では圧倒的に大阪の方がローカルです。都市としての競争力を持つには、ローカルなところを活かしつつも、外国の方たちと一緒に仕事をしたり、生活する。そうした人たちが増えれば、都市としての幅が広がり、経済力も高まる。世界における存在感も、すごく大きくなると思います。

結城　そのためには大阪だけで物事を考えないことが大事だと思います。大阪の存在感を大きくしたいなら、本来は京都や奈良、滋賀、和歌山、兵庫も交えて、関西全体でやらなければいけない。そうすればこの地域は、ものすごく大きな力を持ちます。それなのに連携プレーがうまくいっていない気がします。

関西の人は「大阪」「京都」と単体で物事を考えますが、よその人はそんな目で見ていません。例えば遊びに来た外国人の友達を観光案内した時です。最初は「京都に行きたい」と言うので、京都に行く。翌日は「大阪に行きたい」、さらに翌日は「奈良も行きたい」となりますが、ひととおり行ったあと「どこが楽しかった？」と聞くと、「奈良が意外に楽しかった。大阪湾もよかった。もう1回来て、今度は神戸の夜景が見たい」などと言うのです。外国の人は「大阪」とか「京都」とか「神戸」など、1カ所で関西を見ていない気がします。

フォーリー　変なライバル意識があるのであればそれを横に置き、「関西圏」としてもっと連携する。「関西圏」でブランディングできるプロデューサーはいると思いますが、関西の人はブランディングが案外下手なのかなと思ったりもします。

結城　USJの元執行役員だった森岡毅さんは、「もう『神戸』『大阪』という名前を捨てて、この地域は全部『京都』になれ」と言っていました。

フォーリー　それは大阪に思い入れのある私としては、受け入れられません。わからなくもないですが（笑）。

橋下改革で魅力的な街に変貌

結城　これもブランディングの一種です。ブランディングと言うなら、そこまでしないとダメです。2011年に橋下徹さんが大阪市長に就任した時に考えたのも、大阪のブランディングです。

当時の大阪市は「夕張市の次に破綻する自治体」と言われるぐらい、債務超過になっていました。平松邦夫市長の時代で、平松さんは元毎日放送のアナウンサーだったこともあり、僕は平松さんを応援していました。ただ当時の大阪は、府と市が完全にねじれ状態で、「府と市は不幸せ」と言われるほどでした。何か改革をしようとしても、一緒に動くことができない。その結果、100兆円超の債務超過に陥っていた。

「これを何とかしなければ」ということで橋下さんの改革が始まり、債務を減らすためのロードマップを描きました。2018年に大阪市交通局が民営化したのも、そのひとつです。府と市の二重行政も少しずつ解消され、大阪都構想もそうした中から出てきたものです。

御堂筋もきれいにしました。当時の御堂筋は、いつ引ったくりにあうかわからないほど、真っ暗で汚い場所でした。それを、トイレを全部きれいにして、銀杏並木にライティングを施した。クリスマスなどは本当にきれいです。大坂城公園周辺も、いわゆるホームレスの人たちがいなくなり、彼らが使っていたブルーテントも撤去されました。今あのあたりは電通、読売テレビ放送、大和ハウスなどの指定管理になっています。

こうした美化作戦の結果、街中の犯罪が減るなど、いろいろな形で変わっていった。これはこの10年の話です。だから最近大阪に転入した人たちは、大阪はもともときれいな街だと思っています。だから「今の大阪で十分」と、住民投票で大阪都構想に賛成しなかったのです。

フォーリー　確かに駅のトイレは、非常にきれいになりました。大阪城公園も快適な空間になりましたね。

結城　街中がきれいになって犯罪が減り、企業もどんどん伸びてきた。それがベンチャーの興隆にも、つながっているのです。

フォーリー　そういう視点で考えたことはありませんでしたが、大阪に居つくスタートアップが増えた感覚はあります。東京に支社を出しても、本社は大阪のままとか。「東京には出張で行けばいいです」という企業が増えたのは確かです。

結城　学生も、東京に行く人が減っています。かつて日本大学や法政大学は、8割ぐらいが東京以外から来る人でした。今は8割以上が、東京の人です。東京の人は東京の大学へ行き、同じように関西の人は関西大学など地元に行く人が多い。7割ぐらいが地元の人になっています。

フォーリー　東京は何でも高いですから。

結城　あと面白みが、なくなっています。食べ物にしても、かつては東京にしか天ぷらのおいしい店がなかった。蕎麦のおいしい店もなかった。でも今は大阪にもあります。

フォーリー　あと安いものがおいしいですよね、大阪は。

結城　B級、C級グルメは本当に多いです。

老舗菓子メーカーの社長が示した大阪の可能性

フォーリー　でももっと面白い街にしないと。東京は人の多さが違うので、本当にチャンスがいっぱい転がっています。スタートアップも、東京のほうが何倍も多いです。大阪にもっと人が来て、いろいろな機能やビジネスが生まれると、チャンスももっと増えて面白くなります。

じつは行政や経済界でも、京阪神連携によるスタートアップ・エコシステムをつくる動きがあります。関西経済同友会も２０１８年に「関西ベンチャーフレンドリー宣言」を出しました。大企業とスタートアップ企業との取り組みを橋渡しする仕組みをつくって連携を深めようというものです。

大阪商工会議所でも、スタートアップ支援の動きが加速したようです。東京のベンチャーキャピタルが、関西で投資できる企業を探しに関西に来ているという話も聞きます。そんな動きが関西で活発に出てきているのは嬉しいですね。スタートアップはイノベーションをするうえで大事な源泉力だから、盛り上げていこうというわけです。吉村大阪府知事も、スタートアップ支援に積極的だと聞いています。

結城　スタートアップ以外でも、面白い人が出ています。先日テレビのニュース番組で知ったのが、岩おこしの老舗メーカー・あみだ池大黒の小林昌平社長です。もともとオリックスで働いていたのですが、実家があみだ池大黒で、7代目を継いだのです。そして女性向けに小さな商品や可愛らしいパッケージの商品をつくり、これが大ヒットして注目を集めています。

伝統を受け継ぐものが大阪にはいっぱいありますから、それらをブラッシュアップしたり、繋げることによって、もっともっと面白いことができると思います。

フォーリー　一般社団法人ベンチャー型事業承継の代表理事を務める山野千枝さんも、そうした考えをしています。彼女は跡継ぎベンチャーの団体を立ち上げされて活発に活動されてます。

結城　新潟県のスノーピークも、父親が立ち上げた金物問屋を、長男の山井太さんがオシャレなアウトドアレジャーメーカーに発展させました。赤いキャンプ用品を出すなど、ルアー用品やアパレルも含めて、新しいブランド展開を進めました。今は山井さんの娘、30代の山井梨沙さんが社長を務め新しい展開を積極的に行なっています。

ホッピービバレッジもそうで、3代目社長を継いだ石渡美奈さんがブランディングを行い、ちょっとダサいおっさん向けだったホッピーを、若者も飲めるものに切り替えた。

翻って大阪には、アイデンティティも歴史もストーリーもあります。ベースがあるからこそできる、新しいものをつくっていけばいいのです。大阪には豊臣秀吉をはじめ、先人たちの知恵が生きています。

フォーリー　さきほど申し上げた山野千枝さんは、あみだ池大黒のようにファミリービジネスをベンチャー的に革新して、大きく成長させることを「ベンチャー型事業承継」と呼んでいます。彼女の取り組みは全国あちこちで紹介されています。結城さんのおっしゃっているとおり、ベースをブラッシュアップしてさらなる革新を作りだすという取り組みそのものですね。

関西みんなで手を組み、考えるしかない

結城　大阪には、いろいろな種があるのです。その種をどう結びつけていくか。種だけでは動きません。そこに水をやり、肥料をやり、日光も与える。種はいっぱい転がっているのだから、誰が水をやり、誰が肥料や日光を与えるのか。あるいは実った実を誰が収穫するか。それをみんなで考えていく。繰り返しになりますが、やはり関西みんなで手を組み、考えることが、この地が生き残る唯一の作戦です。

フォーリー　なぜ「京阪神連携」は、なかなか実現しないのでしょう。

結城　「京阪神連携」が、お役所言葉だからです。京阪神間に関所なんてありません。先ほど外国人の友達の話をしましたが、「行きたい」と言えば行かせてやればいいのです。奈良も、京都も、大阪も関係ない。そうしないと関西は、絶対に東京に勝てません。

フォーリー　共通するビジョンを見せられればいいですね。そうすれば「くだらないこだわりは捨てて、一緒に連携しよう」となるかもしれません。

結城　敵の敵は味方ですから。それが実現すれば、日本はもうひとつエンジンができたことになり、加速度的に強くなると思います。もともと日本には、東京と大阪という2つのエンジンがあったんです。そのうちひとつが少し弱くなったので、もう一方に引っ張られて傾いた状態になっている。これがもとに戻れば、まっすぐ飛べるようになります。

フォーリー　大阪はもともと商人の町です。商人は実利的なはずで、「連合したほうが得」と思えばいいのに、なぜ思わないのか不思議です。

結城　京都は京都で、また違う考えを持っています。島津製作所は京都市が本社ですが、先日、中本晃会長とお会いした時、「京都は昔々から技術者の集まり」とおっしゃっていました。物をつくるにも、「隣りはあんなものをつくっている。俺達もあれに負けないために、何かつくっていこう」と考える。イノベーションがしょっちゅう起こっていて、それが京都を大きくしたと。

また物をつくるには、いろいろな技術が必要です。襖をつくるには、糊も要れば、紙も要る。いろいろな人の技術を用いて、襖というものがつくられる。その点からも他の人たちの技術をつねに見ていて、そうやって頑張りつづけてきたのが、今の京都というわけです。任天堂や京セラといった技術に重きを置いた会社が活躍しているのもまさにそうで、これが京都の凄さだとおっしゃっていました。

フォーリー　大阪と京都が協力するには、どうしたらいいでしょう。

結城　京都人にも大阪人にもアイデンティティはあるでしょうが、関東に勝つには、みんなで連携するしかありません。10年前に森喜朗元総理が京都で講演した時、大阪を称して「タンツボ」と言いました。その時大阪の人は苦笑いするだけで、「そう言われても、しゃあない。俺ら、そういうもんやねん」とみんな自虐的に言っていた。

でも今の大阪はそうではない。世界に冠たる大阪に戻りつつあります。京都、和歌山などみんなを引き連れて、リーダーになって走っていけばいいのです。

2025年大阪万博への期待と注文！

結城　関西や大阪のこれからを考えるとき、忘れてならないのが2025年の大阪・関西万博です。フォーリーさんは今度の万博について、どのような思いがありますか。

フォーリー　「何かやりたい」という思いが、すごくあります。何ができるかわからないので、今は情報を集めている最中です。

結城　過去の万博には、1970年の大阪万博もあれば、2005年の愛・地球博もありました。2025年の万博は大阪にとって、どういう位置づけになるでしょう。

フォーリー　大阪の存在感を世界に示す、格好のチャンスだと思っています。そこに関わることができたら、当社の存在感も示せます。

結城　僕は懐疑的な部分が、たくさんあります。確かに世界発信できる可能性もありますが、場合によっては負の遺産を抱えます。1970年の大阪万博では、「太陽の塔」のように「心のレガシー」として残っているものもありますが、負の遺産もたくさんあります。

例えば会場建設にあたり、全国から集めた労働者です。工事が終わると彼らは行き場を失い、それが西成あいりん地区を生み出しました。また千里丘陵を開発してつくったため、周辺の千里ニュータウンなどの地価が高騰してしまった。光と影が必ずあって、今回もお祭りとして楽しむのはいいですが、跡地をどう活用していくのか。さらには負の遺産をどれだけ減らせるか。それが2025年万博の大きな課題だと思っています。

フォーリー　万博はお祭りであると同時に、新しいものや実験をお披露目する場所でもあります。前回の大阪万博では、例えば「動く歩道」など、新しい技術が実用化されるきっかけになりました。

スタートアップにせよ、大企業にせよ、日本は優れた技術をたくさん持っています。世界に先駆けた技術力で、新しい世界を見せる。我々が次に住む新しい世界を演出できれば、大阪の存在感も違ってくると思います。

結城　僕はもっと発想を変えてほしいと思っています。例えば建物をなくしてしまう。箱モノをつくり、跡地をＩＲ（統合型リゾート）として活用するのもいいですが、箱モノでアピールするだけでなく、例えばＶＲ（仮想現実）を使って、ビジュアルで楽しませる。

今回の万博のテーマは「いのち輝く未来社会のデザイン」です。我々はもはや、家にも仕事にも固執しなくなっています。テクノロジーで見せる新しい世界は、大きな箱モノを建てるのとは違う、新しいやり方があっていい。それが関西文化を全部、取りまとめるものなら、なおいい。そもそも正式名称は「大阪・関西万博」ですから。

大事なのはレガシーを残すことです。僕は前回の大阪万博の時は小学校2年生で、学校を休んで父親と1週間行きました。「未来はこうなるのか」とワクワクすると同時に、映像で世界中でこれほどたくさん戦争が起こり、貧困があることを知って、大変な恐怖を覚えました。

フォーリー　その頃から感受性がすごいですね。

結城　三洋電機の「人間洗濯機」も恐かったです。カプセルに入った水着姿の女性を、全自動で洗うのですから。親父は食いついて見ていましたが（笑）。

もうひとつ印象的だったのが、島根県が太陽の広場で披露した石見神楽です。石見神楽は石見地方に古くから伝わる郷土芸能で、祭りの時など子供も大人もみんな舞います。万博で舞った演目は「ヤマタノオロチ」で、高天原を追われたスサノオノミコトが大蛇ヤマタノオロチを倒すのです。

もとは地味な演出でしたが、大阪万博で舞うにあたり、花火を出したり、大蛇を何匹も出す演出に変えた。すると大喝采が起こり、以後、石見神楽で「ヤマタノオロチ」は、スター演目になるのです。今では他の演目も花火を使うなどして、あちこちで上演される、島根の人気コンテンツになっています。万博が文化の継承に一石を投じることもあるように思います。

「粉もん」ではない、新しい食文化を発信する

フォーリー　文化ということでは、「食」も大阪から新たな発信をする必要があります。大阪の食というと「粉もん」のイメージが強いですが、以前ある外国人の友達から言われたのが「粉もんでは接待ができない」というものです。「お好み焼きもたこ焼きも美味しいけれど、それだけだと競争力が弱い」と。

本来大阪は「天下の台所」と呼ばれ、豊かな食文化を持っています。大阪は商人の町で、なにわの豪商が粋を凝らして、いろいろな食文化を築き上げてきました。そういった「浪速の文化」があったにも関わらず、今は「粉もん」が大阪の食文化と思われている。新しい大阪の食を、今度の万博で発信していく。今はSNSで世界中に情報が廻りますから、大阪の豊かな食を世界に発信できます。

この時、切り口のひとつになると思うのが「フードテック」です。私は大阪をフードテックのメッカにしたいと思っています。ミシュランで星を獲得したフレンチやイタリアンは、数でいうと圧倒的に東京の方が多いです。もっともこれはお客様の数が多いので仕方

ない部分があります。そこで単に「美味しい」ではなく、テクノロジーを使った大阪発の新しい食を提示する。

それができれば大阪の歴史にもマッチするし、大阪や関西の未来につながります。食べるお客様も喜び、まさに「三方よし」の関係が生まれます。私の仕事が食関係なので、「食×イノベーション」「食×テクノロジー」というテーマで、「未来の食」を発信できればと思っています。

フードテックに勝負を賭けよ

結城　前回の大阪万博では、食べ物の思い出もあります。アメリカ館の横で、肉を挟んだパンが売られていたのです。親父と「これはどうやって食べるべきなのか」などと話していたら、横で食らいついているアメリカ人がいた。これが僕が最初に食べたハンバーガーで、１９７０年に食べた、あの味が忘れられません。

フォーリー　万博には、新しいものに直に触れる楽しさがあります。今度の万博で大阪が提示する食は、もっと尖っていいと思います。冷凍技術ですごく注目されているスタートアップも出てきています。

コロナ禍により家で食べる人が増えているし、女性・男性も働いていると晩ごはん作る代わりに冷凍食品を買って家でチンして食べるというのも増えているようです。その時の美味しさが、冷凍技術によってまったく違ってくるのです。これもフードテックのひとつで、フードテックがカバーするエリアは広い範囲にわたります。

大腸内の細菌の研究ばかりしているベンチャーもあります。腸内にある細菌によって、性格や体質が決まるそうです。こういう細菌が体内にあると怒りっぽいとか、体内に入れるものを通じて健康になるとか、ウェル・ビーイングにつながる動きもあります。フードテックの動きは東京に比べて大阪はこれからでしょうが、大阪は「食い道楽のまち」ですから、もっと取り組むベンチャーが増えると面白いと思っています。

結城　大阪は、食の見せ方が下手なのです。京都を見てください。たいしたことのない食事を1万円、2万円といって提供する。技術はあるのでしょうが、それ以上に見せ方がうまい。それが大阪は、できていないのです。

フォーリー　東京も非常に上手です。大阪が下手なのは、「浪速の商人」的な質実剛健さが関係あるかもしれません。「とにかく売れればいい」という発想で、演出やブランディングといった部分が少しなおざりになっていた。

2020年代のキーワードは「格好よく」「クール」

結城　ブランディングで僕が思うのは、大阪はもっと国際的な視点を採り入れるべきということです。例えばシンガポールや香港では、夜になるとレーザー光線が走り、プロジェクションマッピングでいろいろなアート作品を見せてくれます。今度の万博で大阪も、大阪の一大歴史絵巻をレーザー光線やプロジェクションマッピングで、毎晩10分なり15分なり見せればいい。

大事なのは「見せる」で、いちいち語らなくていい。豊臣秀吉の前から始めて、明治には五代友厚がこれをつくったとか。そこに食も加えて、いろいろな大阪を見せていく。そんなプロジェクションマッピングを僕は見てみたい。

フォーリー　私も見たいです。

結城　大事なのは発想です。例えば橋下徹さんが市長時代に御堂筋をきれいにしたとき、イメージしたのは「恋の街」です。「恋する御堂筋」という歌が昔はやったということで、御堂筋の銀杏並木をイルミネーションで彩り、恋人たちが手を繋いで歩ける街にした。そうした発想が複合的に合わされば、大阪はもっと格好よくなると思います。

フォーリー　「格好よく」というキーワードは、大好きです。大阪は「おもろい」のイメージが強いですが、「おもろい」と同時に格好よくやってほしい。変に泥臭いのではなく、「格好いい」があり、そのうえで面白い。

結城　２０２０年代の大阪は、「格好よく」「クール」をキーワードにする。大阪駅も改良工事が終わって、きれいになりました。日本一の超高層ビル・あべのハルカスもあります。いろいろなランドマークがあって、今や大阪はとても綺麗な街なんです。万博が開催されたら、さらに綺麗になります。万博も、きれいにつながるレガシーをきちんと残せるものにする。

跡地に誘致するＩＲにしても、やり方だと思います。僕は今ＩＲに否定的ですが、それは世界を見回して、成功しているＩＲがほとんどないからです。韓国もシンガポールもダメで、儲かっているのはアメリカのラスベガスぐらいです。

なぜラスベガスは成功しているかというと、家族で行けるからです。最高のショーがあって、おいしい食べ物が食べられる。みんなで遊べる施設がたくさんあり、そこに大人の遊び、カジノもあるという発想です。そのようにしない限り、ＩＲはうまくいかないと思います。たんに金儲けのためなら、やめた方がいい。

フォーリー　ＩＲ構想は、コロナ禍で話が止まっていますね。

結城　コロナ禍が終われば、また進むでしょう。その時、どのように未来の絵を描くか。たんに箱モノをつくって終わり、ではダメです。

フォーリー　「家族で来られる」というのは、いいですね。

結城　東京ディズニーランドやUSJなど、成功している施設はみんなそうです。人気のキャラクターがいて、アトラクションがあって。遊園地はもう古くて、僕は自然を体感できるものがいいと思います。例えば森のあちこちにキャラクターを埋め込み、みんなで探す。冒険が楽しめる場が、次に来るアトラクションだと思っています。

フォーリー　今度の万博会場は人工島で、周りが海で囲まれています。例えばサンフランシスコは、マリーナ自体が格好いいアトラクションになっています。同じように大阪湾をうまく使って、マリンスポーツを楽しめる場にしてほしい。日本のマリーナは、あまり格好よくありませんから。

結城　サンフランシスコのサウサリートは、高級住宅街の近くにヨットハーバーがあって、すごくきれいで楽しいです。私はヨットが好きなのですが、ヨット人口は海外ではものすごく多いです。どこへ行っても「ヨットを持っている」と言うだけで、会話が成り立つほどです。ところが日本はヨットを持っている人が少ないから、話ができない。

フォーリー　まだ「特権階級の遊び」というイメージが強いでしょうか。本来はスポーツとしても素晴らしいですよね。

「おもろい×クリエイティブ」を目指す

フォーリー　もうひとつ、私があちこちで言っているキーワードが「クリエイティブ大阪」です。東京で大成功している人には、大阪や関西生まれの人が多いのです。上場している企業の経営者にも関西出身者は多く、楽天の三木谷浩史会長も神戸市出身です。

企業経営で大成功するには、クリエイティブに発想できることが重要です。今までと同じ発想では、成功なんかできません。そのクリエイティブな発想を生む土壌が、大阪や関西にはあると思うのです。そこをもっとアピールして、大阪に住みたくなるようにする。「大阪に住めば、ものすごくクリエイティブになれます」と。

このやり方で成功しているのが、ドイツのベルリンです。ベルリンは今アートギャラリーがすごく増えていて、アートな人が集まってくるのです。クリエイティブな場を提供すれば、クリエイティブな人たちが集まってくる。相乗効果で大阪も、もっともっと面白くなります。

大阪を「おもろい」だけで終わらせない。「おもろい×何か」です。「おもろい×クール」

「おもろい×クリエイティブ」。「おもろいの次」を目指すのです。

結城　先にお話ししたように、僕が就職で大阪に来た時、本当に怖くて「やべぇ」と思いましたが、今度はいい意味の「やべぇ」にする。「やばいぐらい、すごい」と。

とくに大阪人のフレンドリーさは、きちんと生かしてほしい。大阪には家族を大事にする人がとても多いです。僕の友人にシングルマザーの女性がいますが、近所の人に子供を預けられるそうです。近くの飲み屋で友達になった人達が、「じゃあ、うちに預けとき」と言ってくれる。

そういう人情や人の温かさが残っている。大都市には、ふつう残っていないのに。そこが日本的で、すごくいいと思います。そういうところは、これからも引き継いで欲しい。そのうえでアーティスティックだったり、クールで格好いい。海外から来た人が「やべぇ、こいつらに負ける」と思うぐらいになってほしいと思います。

もうひとつ、大阪に求めるものとして、緑があります。東京には皇居や代々木公園や明治神宮など、都市の真ん中に緑がいっぱいあるのに、大阪にはあまりありません。鶴見区に緑地公園がありますが、街中から離れています。もっと街中に、みんなが遊べる自然をつくる。安藤忠雄さんが北区の中之島公園で緑化再生プロジェクトを進めていますが、こういうものをもっとやってほしいと思います。

アジア人にとっての「日本＝大阪」にしよう

フォーリー　それは行政の仕事ですね。

結城　行政に任せてはダメです。大阪はもともと中央公会堂を民間で建てるほど、民間でやってきた街です。そこが江戸いや東京に負けない、大阪のよい所なのです。

フォーリー　スタートアップを増やしていくことも重要です。それには失敗しても、再チャレンジできる風土をつくる。今は日本中どこでも、「失敗を許さない風土」があります。大阪に、そうではない風土をつくっていく。

もちろんスタートアップやベンチャー企業には、その分、責任が求められます。失敗が許されるからといって失敗を前提としてはダメで、より緊張感をもって挑まなければならない。でも100％の力を発揮して失敗した場合、もう一度チャンスが与えられる環境は重要です。

結城　やはり大事なのは努力です。失敗して復活できたなら、それは「努力した」ということです。とはいえ結果がすべてでないことも確かです。大阪の経済界で大成功した五代友厚にしても、最後は大失敗して莫大な借金を抱えました。そして最期に「大事なのは、成功よりも目的だ」と言うのですが、僕はそれもいいと思う。

さて、ここまでフォーリーさんと大阪の未来や可能性について、いろいろ話をしましたが、最後に大阪に対する僕の希望を述べたいと思います。大阪はある意味で日本列島のヘソ、真ん中にあります。日本のヘソとしての力を大阪が持っている、いろいろな最先端を発信してほしい。日本はアジアにとって一番近い地域でもあります。彼らにとって、「日本＝大阪」ぐらいになってほしい。

そしてフォーリーさんには、ぜひ世界に冠たる焼肉屋をつくっていただきたい。僕は焼肉も、ひとつの文化だと思っています。焼肉は韓国のイメージが強いですが、「日式焼肉」という言葉があるほど、独自の文化を築いています。アメリカでも店のメニューに「ジャパニーズ・ヤキニク」とあり、世界に冠たる焼肉なのです。

タレに漬け込んだり、さまざまな部位があったり、こんな食べ方をしている国はほかにありません。フォーリーさんには焼肉を、もっともっと極めて頂きたい。新しい大阪の食をつくってください。

フォーリー　じゃあ、「大阪焼肉を世界へ」（笑）ですね。頑張ります！

[略歴]

結城豊弘（ゆうき・とよひろ）

1962年鳥取県生まれ。駒澤大学法学部卒。讀賣テレビにアナウンサーとして入社。1995年、アナウンサーから制作部に異動し『ザ・ワイド』日本テレビ駐在ディレクターとなる。同番組では神戸連続児童殺傷事件や和歌山毒物カレー事件を取材した他、石原慎太郎東京都知事誕生、小泉内閣取材を担当。『ザ・ワイド』プロデューサー、チーフプロデューサーを経て、報道局に異動。『ウェークアップ！ ぷらす』、『情報ライブ ミヤネ屋』チーフプロデューサーを担当。政治・外交・大阪府の取材・特集企画を放送した。現在は『そこまで言って委員会ＮＰ』チーフプロデューサーを担当している。その他、境港観光協会会長。尾崎行雄記念財団評議委員。鳥取大学医学部付属病院特別顧問。

オオサカ、大逆転！

2021年7月1日　　　第1刷発行

著　者　結城 豊弘
発行者　唐津 隆
発行所　株式会社ビジネス社
〒162-0805　東京都新宿区矢来町114番地 神楽坂高橋ビル5F
電話　03(5227)1602　FAX　03(5227)1603
http://www.business-sha.co.jp

〈装幀〉齋藤稔（株式会社ジーラム）
〈本文組版〉茂呂田剛（エムアンドケイ）
〈印刷・製本〉中央精版印刷株式会社
〈営業担当〉山口健志
〈編集担当〉中澤直樹

ISBN978-4-8284-2296-1